JN226167

New Health Care Management

いちばんやさしい
介護事務
超入門

最新
2024
年版

医療コンサルタント
日本医療報酬調査会 水口錠二 Joji Mizuguchi

Nursing care work

まえがき

介護保険が2000年4月に導入されてから19年目を迎えますが、2000年度には3兆9535億円であった介護給付費総額が、2022年度では11兆円を超えています。今後益々増加されることが予想されます。

介護にまつわる事業は、以下のように大きく2つに分かれます。
・介護保険が適用されるもの
・介護保険が適用されないもの

介護保険が適用されるものは、
・居宅サービス
・地域密着型サービス
・施設サービス
などを行う事業となります。これらのサービスを提供する施設においても内容によって経営実態に傾向があります。
さらに介護保険の適用を受けないサービスを提供する施設も増加傾向にあります。
たとえば、食事サービス、住宅サービス、出張理美容、旅行、カルチャー、レジャー、福祉関連用具販売など、かなり広範囲なサービスを実施する業者が増えています。
このように今後ますます拡大していく介護関連ビジネスに就業を検討する場合、介護に関する広範囲な知識を習得する必要があります。さらに各事業の特徴を理解することが必要不可欠と考えられます。

介護事業は今後、団塊の世代が対象となるとさらに増加し、15兆円を突破することも現実味を増しています。
さらに2040年には、介護給付費は25兆円を超えることが考えられます。
今後の介護報酬改定では引き下げが予想され、市場の規模拡大とは裏腹に厳しい運営を強いられる可能性があります。
さらに、介護保険の適用外のサービスについては、今後ますます拡大が予想されます。業種も多岐にわたり、大きなビジネスチャンスといえます。
しかしながら、大手も含め参入業者も増加することから、他社との差別化がビジネス成功の鍵といえます。
ポイントは、多様性・個別対応などが挙げられます。本書でも解説していますが、何かしらの介護給付を受けている方々も年々増加し、このような背景から介護関連市場はますます拡大することは確実であり、就業するチャンスが増加する業界といえます。

また、介護と医療は切り離すことができない分野であり、医療も含めた幅広い知識を習得することは、介護業界で働く上で、優位に働くことでしょう。本書が、介護業界で活躍される皆様にとって、少しでも参考になれば幸いです。
※本書は2024（令和6）年４月および６月の介護報酬改定に基づいています。

水口錠二

【最新2024年版】

いちばんやさしい 介護事務 超入門

◎

もくじ

第２章　介護サービスの種類と介護施設の基礎知識

第３章　介護報酬算定の基礎知識

第４章　居宅サービスの算定ポイント《資料編》

第5章　練習問題に挑戦してみよう！【介護の基礎知識＆介護報酬明細書の作成編】

序章

介護事務の仕事って何？
私にもできるの？

1 介護事務の仕事って何?

(1) 介護事務の仕事の重要性が高まっている理由

2000年4月から、国の公的な制度である介護保険制度が始まり、24年を過ぎましたが、介護の必要性はどんどん高まっています。

介護分野においても療養病床問題、職員の待遇改善など課題が山積されています。

このような中、介護事務を担当する職員の必要性は増しているといえます。

介護事務とは、老健、特養、グループホーム、デイサービスなどの介護関連施設や事業所において、専門知識を持って事務的業務に従事する人たちを指します。

各事業所や施設に事務職として就職した場合は、概ね次のような業務に従事することになります。

●介護事務の主な仕事

- **介護報酬請求**
- **受付業務**
- **問い合わせ対応**
- **総務、経理、人事**
- **他の関連機関との折衝**

この中で、特に業務の根幹となるのは**介護報酬請求事務**、いわゆるレセプトの作成になります。介護保険制度の仕組みや介護報酬の算定についてはこのあとおいおい詳しく解説していきますが、この章では介護事務を目指すうえで最低限理解しておくべき内容について記載します。

●介護事務の主な仕事

介護報酬請求

受付業務

問い合わせ対応

総務、経理、人事

他の関連機関との折衝

② 介護事務で必要となる知識は何?

介護報酬請求を行う上で必要な知識は次のようなものが挙げられます。

- **介護報酬制度**
- **介護保険制度**
- **介護施設と各事業所における業務内容**
- **審査機関の考え方と審査システム**

まず介護報酬ですが、原則として3年に1度改定されます。介護サービスを提供した際の請求額、介護報酬では単位と呼んでいますが、この単位が3年で見直されることになります。

(1)介護報酬とは?

介護報酬は、

①居宅サービス
②居宅介護支援サービス
③施設サービス
④地域密着型サービス
⑤介護予防サービス
⑥地域密着型介護予防サービス
⑦介護予防支援サービス

に分類されています。

まず介護事務として働く場合は、自身が勤務する事業所は、どのような介護サービスを提供し、どの単位を算定するのかを理解しなければなりません。

（2）介護保険について理解しておくべきこととは？

次に介護保険制度ですが、先にも述べたように2000年4月からスタートしています。そこでは、

①介護保険の仕組みはどのようなものか？
②対象者は？
③介護保険の保険者は？

など介護事務職員として理解しておかなければいけない事項や関連する法律知識はかなり広範囲といえます。

法律に関していえば、介護保険法だけではなく医療保険に関する知識も必要になります。これは多くの要介護者や要支援者が医療にも関係しているからで、利用者が受けたサービスによっては介護保険で請求するのか医療保険で請求するのかを判断する必要があります。介護と医療は極めて密接な関係がありますので、包括的な知識が必要になります。

（3）介護現場の仕事の中身も理解しておく必要がある？

介護施設と各事業所における業務内容としては、

①特養と老健の違いは？
②グループホームってどんな人が入所する施設？
③サ高住の種類は？
④介護事業所の役割は？

など介護業界で仕事をする上で最低限理解しておかないといけない内容になります。本書を最後までご覧いただければ理解していた

だける内容ですが、介護事務として活躍していくためには極めて重要な内容といえます。

また先にも述べた通り医療と介護は密接な関係があることから医療機関についても理解しておくことが必要です。そういった意味では**医療法**や**健康保険法**の知識も必要といえます。さらに各専門職とその業務内容についても理解しておくことが望ましいといえます。

医療や介護の分野は専門職が多く関係し、各有資格者は法により役割と権限が定められています。このようなことを理解していないと介護事業所や施設で勤務する上で支障が出ることが多くなることでしょう。

（4）介護報酬請求について理解しておきたいことは何？

審査機関の考え方と審査システムについては、やや難易度の高い仕事といえますが、介護報酬の請求は月の末日までにサービスを提供したものを、翌月の10日までに**国民健康保険団体連合会**に提出します。この通称、**国保連合会**と呼ばれる組織は、各都道府県に1か所設置されています。**各事業所から提出された介護報酬請求書はこの国保連合会で審査をされる**ことになります。

この審査で請求が認められたものについて各事業所に入金されることになりますが、審査で**疑義**が生じた場合は、入金されないことも起こり得ます。これを**減単位**や**返戻（へんれい）**といいますが、減単位や返戻が多いということは、介護報酬請求事務を担当した職員の知識が脆弱であるといえます。

介護サービスを提供する施設や事業所において介護報酬請求は根幹の収入となりますので、この業務の精度が低いとした場合、施設や事業所の経営にも多大な影響を与えることになります。介護請求事務を担当する事務職員は、本書に記載したような知識を十分に習得した状態で業務にあたることが必要です。

3 介護事務の大切な仕事である受付業務とは何か

どのような組織においても、受付の果たす役割は重要です。特に医療施設や介護施設においての受付は、その施設の第一印象を決めてしまうことになりますので、きわめて重要度が高くなります。

例えば、施設見学に来られた方が最初に接触した受付の職員に良いイメージを持たなかった場合、その方は入所されるでしょうか? もちろん、このことだけで入所先を決定するわけではありませんが、大きな影響を与えることは間違いないといえます。

また、介護施設や事業所に、問い合わせてくる方も多くいらっしゃいます。電話というのは、相手の顔や表情が見えないことから「声」や「言葉遣い」によって印象を左右します。

このようなことからもわかる通り、受付業務を担う職員は高度なコミュニケーション能力が必要です。特に**介護施設を利用される方は高齢者になりますので、特有の心理についても十分配慮した対応が必要です**。

介護施設ではなく医療機関における事例ですが、受付職員の対応が好ましくないために、収益が前年比で10%以上も低下したケースもあるくらいです。それだけ受付を担当する職員の影響が大きいといえます。

自分たちの言動や態度、行動の一つひとつが施設や事業所の経営につながっていると認識し、日々の業務にあたることが必要です。

4 介護事務の活躍の場である介護現場で働く関連職種の仕事について

介護事務として活躍する場としては、各介護系施設に留まらず、デイサービス、訪問看護ステーション、療養型病床を有する医療機関など様々です。このような介護保険が関係する事業所では、様々な専門職が勤務しています。代表的な職種について記載しておきますので、参考にしてください。介護関連事業所の詳細は第２章に記載していますので、そちらを参照してください。

（1）医師の仕事について

医師は大きく分類すると『臨床医』と『研究医』に分類されます。臨床医とは、病院に勤務したり、診療所（医院やクリニック等）を開設し、患者に接しながら病気の治療を行います。

最近では、禁煙外来などの予防医療についても担当することが多くなりました。研究医とは、大学や研究所で病気の原因や治療法といった基礎医学の研究を行っています。

それ以外にも、監察医務院と呼ばれるような施設で、司法解剖と呼ばれるような業務を担当する医師もいます。医師は、医療機関のリーダー的存在であり全ての医療行為は医師の指示において行われています。

最近では、チーム医療という考え方が定着していますが、チーム医療とは医師・看護師・薬剤師・臨床検査技師・診療放射線技師・理学療法士・管理栄養士などの各専門職と連携しながら患者をサポートしていくことをいいます。医師は患者に対しての診療・治療の高度な知識が必要となりますが、判断力・統率力など生命を預かる責任感が求められます。医師の役職については、理事長や院長のほかに診療部長や医長などと呼ばれる医師もいます。
医師になるためには、大学の医学部において６年間学習し医師の国家試験を受け、２年間の初期臨床研修を受けることになります。また医療機関で勤務する医師は保険証を活用した診療をすることになりますので、保険医の登録も必要になります。

（2）薬剤師の仕事

薬剤師は病院や診療所、または薬局で医師の処方に基づき薬剤を調剤することになります。また、薬剤の服用方法や副作用、相互作用など必要な事項を患者に説明する服薬指導なども担当します。最近は調剤薬局なども多くなりましたが、薬局を開設する薬剤師も多くなっています。薬剤師になるには、大学の薬学部で６年の教育を受け、その後国家試験に合格する必要があります。

（3）看護師の仕事

看護師は医師の指示に基づき、診療や治療の補助を行ったり、病気の方に対して看護を行うことになります。内科や外科、産科など勤務する診療科によって業務内容や必要となる知識も異なりますが、最近では**専門看護師制度**などもでき、今後益々活躍する場が拡大すると思われます。
全国で約１３０万人いる看護職の多くは病院や診療所で勤務していますが、最近では保健所や介護関連施設、訪問看護ステーションなどにおいて従事する看護師も増加しています。
病院勤務では、24時間体制で患者をサポートする必要があるため、二交代や三交代で勤務することになります。業務がかなりハードであるため体力も必要となり、人を思いやる気持ちや明るい性格なども必要といえます。看護師になるには、看護系大学や専門学校で教育を受け、国家試験に合格する必要があります。

（4）保健師・助産師の仕事

保健師は学校や会社、保健所などにおいて人の心と身体の健康を守るために相談や指導を行います。病院に勤務する場合は、医師や看護師と連携して看護活動なども行います。

保健師になるには、看護師になってからさらに養成施設において１年の教育を受けることが必要となり、合格した場合、保健師免許が授与されます。

助産師も保健師と同様に看護師免許を取得した後、１年の養成施設において教育を受けることが必要です。業務内容としては、母体の医学的な観察・指導・ケアを行う助産・新生児の観察など、妊婦から出産、育児まで母子の健康を守るのが業務となります。

（5）理学療法士（ＰＴ）の仕事

事故や病気や怪我によって身体機能に障害を持った人が社会生活を取り戻せるように身体機能の回復を援助するのが理学療法士です。

具体的には、歩行などの日常生活動作の回復を目指して訓練を担当します。理学療法士はＰＴと呼ばれることが多く、高校を卒業後、大学や専門学校において教育を受け、国家試験に合格することが必要です。

（6）作業療法士（ＯＴ）の仕事

身体障害者や精神障害、発達障害、老年期障害などを持つ人に対して、機能の回復や機能低下の予防を図るのが作業療法士です。医師や理学療法士、介護福祉士と連携をとり、個人の障害の程度に合わせたリハビリメニューを作成し、工作や手芸などの作業、生活動作の訓練などを担当します。

作業療法士はＯＴと呼ばれることが多く、高校を卒業後、大学や専門学校において教育を受け、国家試験に合格することが必要です。

（7）言語聴覚士（ＳＴ）の仕事

言語障害や難聴、失語、言語発達遅滞など言語聴覚の障害を持つ人に対し、機能障害から生じるコミュニケーション障害の程度を評価して、機能の改善や維持、または代わりになるような訓練を担当します。言語聴覚士はＳＴと呼ばれることが多く、厚生労働省の指定する大学や専門学校において教育を受け、国家試験に合格することが必要です。

（8）柔道整復師の仕事

接骨師・整骨師・ほねつぎとして知られ、厚生労働大臣免許の下で、打撲、捻挫、挫傷、骨折、脱臼などに施術を行います。

施術には医師の同意が必要で、外科的手術、投薬を行うことはできません（応急手当として施術する場合は除く）。柔道整復師になるには、厚生労働大臣認定の養成学校や専門学校において教育を受け、国家試験に合格することが必要です。

（9）鍼灸師の仕事

東洋医学の理論に基づいて、はり・お灸などを使用し、患者の身体の経絡上にある経穴（つぼ）に刺激を与えて、滞っている全身の血液の循環を改善させます。「はり師」と「きゅう師」はそれぞれ別の国家資格となっていますが、鍼灸師を養成している専門学校や大学などにおいて教育を受け、「はり師」と「きゅう師」の両方の国家試験に合格すると「鍼灸師」になることができます。

（10）臨床検査技師の仕事

医師の指示に従って患者の状態を調べるための検査を担当します。検査には、尿や血液などの検体を用いて行う検体検査や、心電図などのように身体に装置を付けて行う生体検査があります。

このような検査を担当するのが臨床検査技師になります。高校を卒業後、指定の養成施設で３年程度の教育を受け、国家試験に合格する必要があります。

（11）臨床工学技師の仕事

医師の指示に従って、人工心肺や人工呼吸器、血液透析などの生命維持管理装置の操作および保守点検を担当します。手術室業務、集中治療室業務、血液浄化業務、ＭＥ機器管理業務など広範囲にわたります。

臨床工学技師になるには、厚生労働大臣指定の大学または短大、専門学校で教育を受け、国家試験に合格する必要があります。

（12）診療放射線技師の仕事

医師又は歯科医師の指示により、放射線を人体に照射して病気の診断や治療に必要な情報を提供するのが診療放射線技師になります。

通常のレントゲン以外にもＣＴやＭＲＩと呼ばれる装置を使用した撮影も担当します。診療放射線技師になるには、高等学校を卒業後３年程度の教育を受け、国家試験に合格する必要があります。

（13）救急救命士の仕事

災害現場や病院に向かう救急車の中で、大きな怪我を負った人や急病の人に対し、適切な救命手当をします。医師から無線で指示を受けて、一般救急隊員ではできないような高度な処置を行います。
救急救命士の国家試験を受けるには、救急救命士養成専門学校で勉強したり、大学で病理学や生理学など所定の１６科目を勉強したり、あるいは消防官として５年または２０００時間以上の救急業務に携わり、救急救命士養成所で勉強した場合に受験資格を得ることができます。

（14）栄養士の仕事

学校給食や病院、会社の食堂などで、食物や栄養についての知識を生かして、バランスの良い献立を提案し、調理業務や食生活について指導を行います。また、病院では入院患者の給食管理と入院・外来患者の栄養指導を行います。
保健所の栄養士は栄養指導員と呼ばれ、栄養の摂り方や赤ちゃんの食事の注意点などを指導します。栄養士になるには高校卒業後、大学や短大、専門学校を卒業すれば取得できます。

（15）管理栄養士の仕事

責任者として栄養士の管理、指導を行います。管理栄養士になるには、栄養士免許取得後に１～３年以上の実務経験を積むか、４年生大学で管理栄養士養成過程の教育を受けた後に、国家試験に合格する必要があります。

（16）調理師の仕事

飲食店、または学校、病院などの給食施設で調理業務を行い、人々に安全な飲食物を提供します。病院では献立は栄養士、調理は調理師と分業になっています。

調理師になるには調理員として２年以上の経験を積めば国家試験を受験できるほか、専門学校や短大の専門課程で学んで申請することで取得できます。

（17）精神保健福祉士の仕事

精神科ソーシャルワーカー（ＰＳＷ）等と呼ばれ、精神的な障害のある人をサポートします。病院では入院から退院までの相談に応じ、日常生活を送るための援助を行います。病院以外では、社会復帰施設の指導員や、精神保健福祉センターなどで市民のメンタルヘルス啓蒙活動に携わったりします。精神保健福祉士になるには、大学等で指定科目を履修したり、養成施設で教育を受けた後、国家試験に合格する必要があります。

（18）社会福祉士の仕事

ソーシャルワーカーとも呼ばれる社会福祉専門職です。精神的・身体的・経済的なハンディキャップのある人から相談を受け、日常生活がスムーズに営めるように援助を行います。

また、行政や医療機関など各関連施設をつなぐ役割も担います。社会福祉士になるには、大学等で指定科目を履修したり、養成施設で教育を受けた後、国家試験に合格する必要があります。

（19）介護支援専門員の仕事

介護支援専門員（ケアマネジャー）とは、介護保険法において要支援・要介護認定を受けた人からの相談を受け、介護サービス計画書（ケアプラン）を作成し、他の介護サービス事業者との連絡、調整等を取りまとめる人ですが、国家資格ではありません。

（20）介護福祉士の仕事

ケアワーカーとも呼ばれ、介護が必要なお年寄りや障害のある人に対して、日常生活がスムーズに営めるように介助をしたり、介護に関する相談に応じます。

他の介護職員や医療職、家族と連携するための介護計画の作成や、健康管理、身辺介助、家事援助など、仕事の範囲は多岐にわたります。

介護福祉士になるには、厚生労働大臣が指定する養成施設を卒業するか、３年以上介護等の業務に従事し、国家試験に合格する必要があります。

（21）登録販売者の仕事

薬剤師とともに、薬局や薬店、ドラッグストアなどにおいて、一般医薬品（いわゆる大衆薬や市販薬と呼ばれている薬剤）の販売を担当することができます。

一般医薬品の販売だけでなく、お客様からの相談に応じたり情報提供をするため、幅広い知識を持つ必要があります。登録販売者になるには、登録販売者試験に合格し、都道府県知事の登録を受けることが必要です。

第1章

ゼロからわかる
介護保険制度の基礎知識

1 介護保険制度の経緯

少子高齢化といわれ久しくなりますが、現在の日本での65歳以上の高齢者は**約3,625万人**になっています（2024年９月15日現在、総務省統計局より）。

これは全人口の**約29.3%**にもなります。日本の場合、他の国と比較しても異例のスピードで高齢化が進んでいます。

このような中、医療費についても急激な増加傾向にあり、2021年度の国民全体の医療費は**45兆円**を突破しています。

従来は、医療保険だけの制度しかなく、現在の介護保険に該当するケースも含め医療費で賄ってきましたが、**2000年4月より介護保険制度が施行**されました。

介護保険制度の経緯については、次頁のようになります。介護保険制度は、３年に１回見直され過去８回の改定が行われています。

2003年、2006年の改定では介護報酬の引き下げが行われ、2009年・2012年改定では介護従事者の処遇改善などの財源確保として介護報酬が引き上げられましたが、2015年改定では-2.27%の引き下げが行われ、直近の**2024年改定では1.59%の引き上げ**が行われました。

しかしながら、まだまだ介護従事者の処遇には問題が多く、さらなる改善が必要と考えられます。

●介護保険制度の経緯

1997年12月	介護保険法成立
2000年 4月	介護保険制度施行
2003年 4月	介護保険料の見直し、 介護報酬の改定（引き下げ）
2005年10月	改正法の一部（施設給付の見直し）施行
2006年 4月	改正法の全面施行。介護保険料の見直し、 介護報酬の改定（引き下げ）
2008年 5月	改正法の施行（療養病床再編に伴う施設関係）
2009年 4月	介護保険料の見直し、 介護報酬の改定（引き上げ）
2012年 4月	介護報酬・指定基準等の見直し、 介護報酬の改定（引き上げ）
2014年 4月	介護報酬 消費税分引き上げ
2015年 4月	介護報酬の改定（引き下げ）、 介護保険料の見直し（引き上げ）
2018年 4月	介護報酬・基準改定、 ２期６年ぶりプラス改定 （全体の伸び率１パーセント未満）
2021年 4月	介護報酬プラス改定　改定率は 0.7% COVID-19 特例的対応は 0.05%
2024年 4月 6月	**介護報酬プラス改定　改定率は 1.59%** **6月1日施行とするサービス** **・訪問看護　・訪問リハビリテーション** **・居宅療養管理指導　・通所リハビリテーション** **4月1日施行とするサービス** **・上記以外のサービス**

介護保険制度の概要

①介護保険の対象者は誰か

介護保険制度では、40歳以上の方が被保険者となります。

65歳以上の方を第一号被保険者、40歳以上65歳未満の方を第二号被保険者と呼びます。

第二号被保険者については、特定疾病を有する者以外では介護サービスを受けることはできなくなっています。

特定疾病とは次頁の表のようになっています。

②特定疾病とは何か-その1

疾病名	症状、含まれる疾病など
がん末期	がんが進行して転移が広がり、治る見込みがない状態。医師が、進行性で治癒困難・不能と診断した場合に特定疾病と取り扱われる。
関節リウマチ	自己免疫性疾患のひとつとして考えられ、慢性に進行する多発性の関節炎。関節のこわばり、腫脹、疼痛などを起こす。末期には関節拘縮、関節強直を起こし、日常生活に著しく障害を来す難治性疾病。
筋萎縮性側索硬化症	運動をつかさどる神経細胞が変性、消失し、呼吸・嚥下に必要な筋肉や手足を含む全身の筋肉が萎縮していく病気。
後縦靭帯骨化症	脊椎の後縦靭帯が異常骨化し、脊髄または神経根に圧迫障害を来す。頸椎に多い。上肢のしびれや痛み、知覚鈍麻などが進行する。
骨折を伴う骨粗鬆症	骨密度が極端に減少し、骨がもろくなる。閉経後の女性に多い。老化による内分泌の不調などが主な原因。前腕部や大腿骨頸部、腰椎などが骨折しやすい。骨粗鬆症があって、外力によって骨折した場合も含まれる。
初老期における認知症	アルツハイマー病、ピック病、脳血管性認知症、クロイツフェルト・ヤコブ病など。初老期に発症し、認知症を主症状とする脳の１次性変性疾患である初老期認知症のほか、脳血管障害、プリオン病、感染性疾患、腫瘍性疾患などによるものを含む。
パーキンソン病関連疾患	パーキンソン病、進行性核上性麻痺、大脳皮質基底核変性症を総称する。いずれも振戦、筋固縮、無動などのパーキンソン病と同様な症状が現れる。
脊髄小脳変性症	運動をスムーズに行うための調整を行う小脳、それにつながる神経経路の変性が慢性に進行し、運動失調が起こる。原因不明の神経変性疾患。
脊柱管狭窄症	脊髄の通り道である脊柱管が老化などの原因により狭窄し、神経が圧迫され、腰痛、足の痛みやしびれ、歩行障害を起こす。

②特定疾病とは何か-その2

疾病名	症状、含まれる疾病など
早老症（ウェルナー症候群）	若年のうちに老化が進行する症候群。白内障、白髪、脱毛、糖尿病、動脈硬化などの症状が見られる。
多系統萎縮症	線条体黒質変性症、シャイ・ドレーガー症候群、オリーブ橋小脳萎縮症を総称する。運動失調、振戦、筋固縮、無動などを主症状とする。
糖尿病性神経障害、糖尿病性腎症および糖尿病性網膜症	糖尿病に慢性に合併する割合が高い疾病。それぞれ、知覚障害、腎不全、失明など重篤になりうる。
脳血管疾患	脳血管の血流障害により脳実質が壊死する脳梗塞、脳血管の破綻による脳出血、くも膜下出血などがあり、意識障害、運動障害などを起こす。
閉塞性動脈硬化症	動脈硬化による慢性閉塞性疾患。間欠性跛行が初発症状になることが多く、病状が進行すると安静時痛、潰瘍および壊疽が出現する。
慢性閉塞性疾患	肺気腫、慢性気管支炎、気管支喘息、びまん性汎細気管支炎。気道の狭窄などによって、主に呼気の排出に関して慢性に障害を来す疾病。
両側の膝関節または股関節に著しい変形を伴う変形性関節症	老化により膝関節の軟骨に退行変性が起こり、骨が変形し、慢性に関節炎を起こす。O や肥満が誘因となることが多く、中年の女性に多い。

65歳以上の第一号被保険者は、介護が必要な状態であれば原因に関係なく介護認定を受け介護保険のサービスを受けることができますが、第二号被保険者では、上記のような特定疾病が原因で介護が必要になった場合のみ、介護サービスの給付が受けられることになっています。

③保険者と財源の関係

介護保険の運営主体は、市町村及び特別区となっています。財源は、**社会保険方式**を採用していますが、**半分は公費**で賄われています。

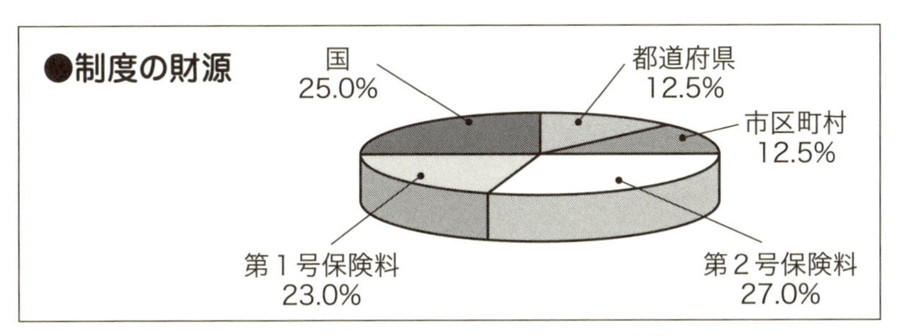

※施設等給付の場合の公費の割合は、国（20%）、都道府県（17.5%）です。

市区町村の行う業務は、第一号被保険者の保険料の徴収、要介護認定、サービス提供事業者に対してのサービス費の支給などがあります。

規模の小さい市区町村の場合は、事務作業などの効率化を図るために広域連合や一部事務組合などが組織され運営されている場合もあります。

④介護保険料は個人ごとに徴収される

医療保険では、社会保険に加入している場合、被扶養者に関する保険料は徴収されていませんが、介護保険制度では個人ごとに保険料が徴収されます。保険料の納付方法は次のようになります。

⑤第一号被保険者の介護保険料の納付方法

◎普通徴収

・被保険者が市区町村に直接納付します。

・口座振替または、納付用紙により金融機関やコンビニエンスストアで納付します。

◎特別徴収

・年金被保険者が徴収されます。

・年金から天引き徴収（2ヵ月ごと）されます。

【参考】第9期計画期間における第１号保険料（標準13段階）

○今回の見直しを踏まえた、第９期計画期間における、標準段階、標準乗率、公費軽減割合、基準所得金額等は以下のとおり。

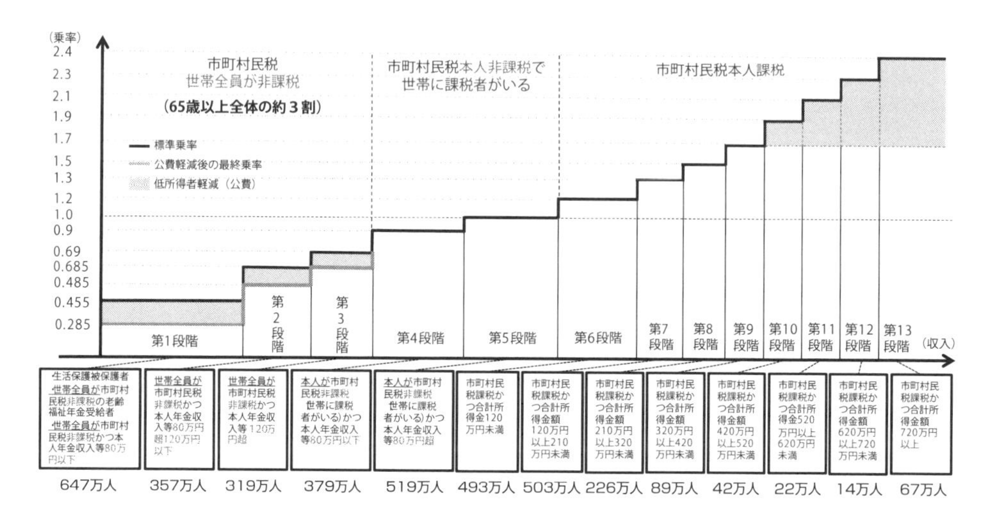

※ 被保険者数は、令和５年度厚生労働省老健局介護保険課調べ（令和５年４月１日現在の状況により報告）

●出典　厚生労働省老健局介護保険課『介護保険最新情報』Vol.1190　令和５年12月22日より

市区町村の状況により上記以上の所得段階が設定される場合があります。基準額に乗ずる割合は市区町村ごとに設定されます。

⑥第二号被保険者の介護保険料の納付方法

・医療保険の被保険者が徴収されます（医療保険の保険料と併せて

一括して給与から天引きされます）。
・集められた保険料は支払基金から市区町村に交付します（職域保険の場合は２分の１を事業主負担。地域保険の場合は、２分の１を国庫負担）。

⑦被保険者証とは何か

第一号被保険者には、65歳になる誕生月に市区町村から郵送され、全員に交付されます。

第二号被保険者には、要介護認定の申請をして要介護または要支援と認められた者に対して交付されます。また、本人が被保険者証の交付申請を行った場合も交付されます。

●介護保険被保険者証

様式第一号(第二十六条関係)

(表面)

(一)

介護保険被保険者証					
被保険者	番号				
	住所				
	フリガナ				
	氏名				
	生年月日	明治・大正・昭和　年　月　日	性別	男・女	
交付年月日		年　月　日			
保険者番号並びに保険者の名称及び印					

(二)

要介護状態区分等		
認定年月日 （事業対象者の場合は、基本チェックリスト実施日）	年　月　日	
認定の有効期間	年　月　日～　年　月　日	
居宅サービス等	区分支給限度基準額 年　月　日～　年　月　日 1月当たり	
（うち種類支給限度基準額）	サービスの種類	種類支給限度基準額
認定審査会の意見及びサービスの種類の指定		

(三)

給付制限	内容	期間	
		開始年月日　年　月　日 終了年月日　年　月　日	
		開始年月日　年　月　日 終了年月日　年　月　日	
		開始年月日　年　月　日 終了年月日　年　月　日	
居宅介護支援事業者若しくは介護予防支援事業者及びその事業所の名称又は地域包括支援センターの名称		届出年月日　年　月　日	
		届出年月日　年　月　日	
		届出年月日　年　月　日	
介護保険施設等	種類		入所等年月日　年　月　日
	名称		退所等年月日　年　月　日
	種類		入所等年月日　年　月　日
	名称		退所等年月日　年　月　日

⑧介護報酬請求事務の流れ

サービスを提供した事業者は、そのサービスの費用（介護報酬）を保険者及び利用者に請求します。ただし、保険者への請求は、実際には市区町村から委託を受けた国保連に対して行います。

介護報酬を請求する場合、介護給付費請求書と介護給付費明細書（介護レセプト）をサービス提供月の翌月10日までに国保連に提出します。国保連から事業者への支払いは、サービス提供月の翌々月末に行われます。

なお、毎月10日の請求締切日に請求書、介護レセプトの提出が間に合わなかったり、提出漏れがあった場合などは、サービス提供月の翌々月以降に請求すること（月遅れ請求）が可能ですが、請求の時効は２年と定められています。

提出された請求内容は、国保連内に設置された介護給付費審査委員会によって審査され、不備がある場合は不備部分についてのみ返戻（提出した書類が受け付けられずに、差し戻されること）または査定（請求内容を減じて支払われること）が行われます。

サービス提供事業所作成のレセプトと居宅介護支援事業所作成の給付管理票は、サービス提供月の翌月10日までに国保連へ提出し、突合せ確認の後、翌月にサービス提供費が支給されます。

●チェック！　介護報酬請求事務の流れ

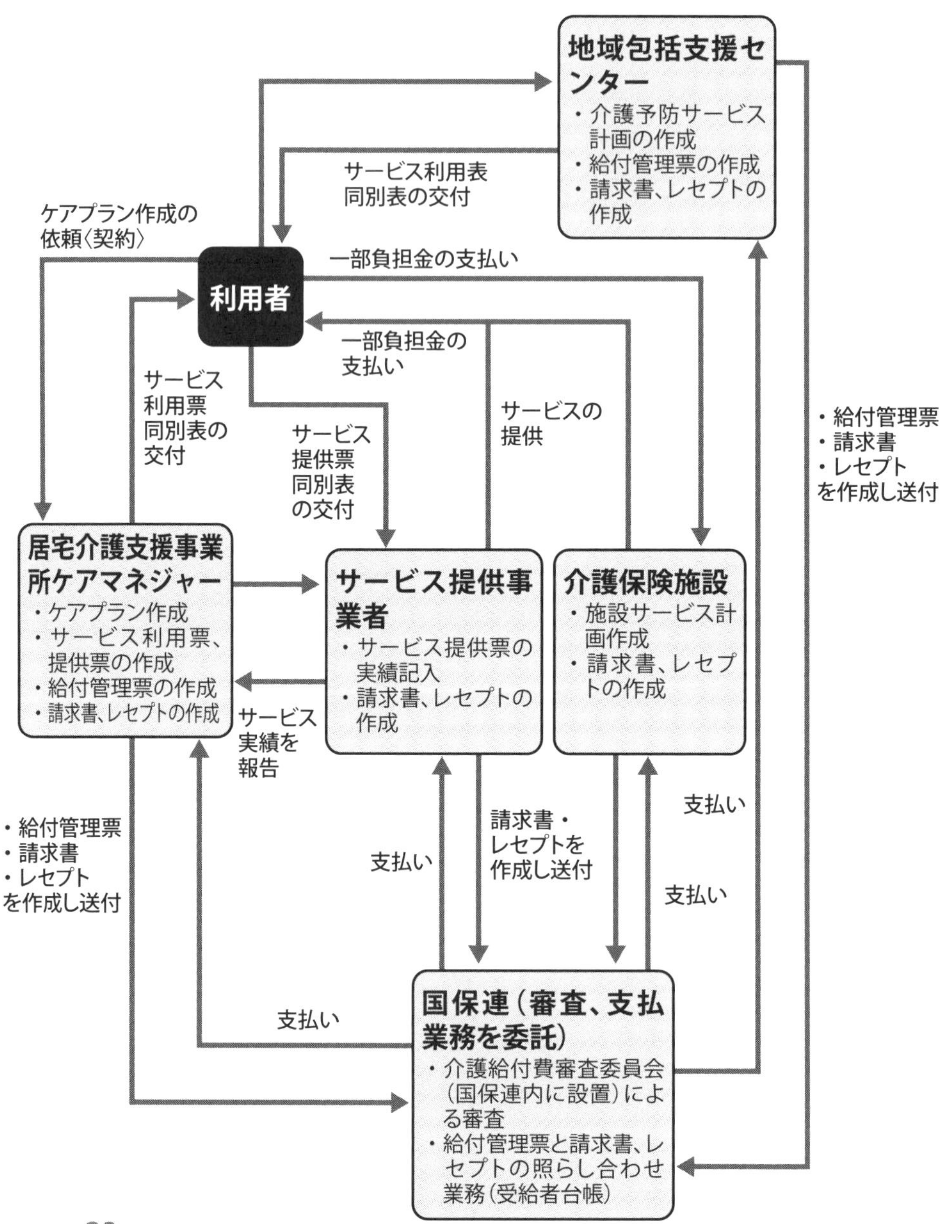

●ケアプラン作成からサービス費給付までの流れ
（例、5月1日～31日までのサービス給付）

	4月20日頃	5月1日～31日	6月1日～
利用者	ケアマネジャーとサービス内容について相談する	ケアプランに基づいてサービスを受ける	ケアマネジャーに5月分の利用状況を報告し、利用者負担分を各事業所に支払う
居宅介護支援事業所	利用者とサービス内容について相談した後、サービス提供事業者の調整、ケアプランを作成し、利用者とサービス提供事業者に送付する		利用者とサービス提供事業者に5月分のサービス提供実績を確認し、給付管理票を作成、10日までに国保連へ提出する
サービス提供事業者	ケアマネジャーと提供するサービスについて相談する	ケアプランに基づいて利用者にサービスを提供する	ケアマネジャーに5月分の利用状況を報告し、利用者に利用者負担分を請求するレセプトを作成し10日までに国保連へ提出

③ 要介護認定と利用手続き

介護保険のサービスの提供を受けようとするときは、医療保険の場合と異なり、保険者である**市区町村の認定**を受けることが必要となります。

保険者である市区町村は、申請を受け付けてから原則として**30日以内に認定の可否を通知**しなくてはなりません。

通知は、**自立を除き7段階（要支援1・2、要介護1～5**）で分類されています。

要支援状態とは、要介護状態となるおそれがある状態で、日常生活を営むのに支障があると見込まれる者をさします。

要介護状態とは、日常生活の基本的な動作（入浴・排泄・食事など）の全部または一部について、常時介護が必要と見込まれる状態をいいます。要支援・要介護のランクは次のように分類されています。

●その１　介護の手間に係る審査判定

１．要介護認定は、介護サービスの必要度（どれ位、介護のサービスを行う必要があるか）を判断するものです。従って、その方の病気の重さと要介護度の高さとが必ずしも一致しない場合があります。

［例］認知症の進行に伴って、問題行動がおこることがあります。例えば、アルツハイマー型の認知症の方で、身体の状況が比較的良好であった場合、徘徊をはじめとする問題行動のために介護に要する手間が非常に多くかかることがあります。しかし、身体的な問題が発生して寝たきりである方に認知症の症状が加わった場合、病状としては進行していますが、徘徊等の問題行動は発生しないため、介護の総量としては大きく増えないことが考えられます。

２．介護サービスの必要度（どれ位、介護サービスを行う必要があるか）の判定は、客観的で公平な判定を行うため、コンピュータによる一次判定と、それを原案として保健医療福祉の学識経験者が行う二次判定の二段階で行います。

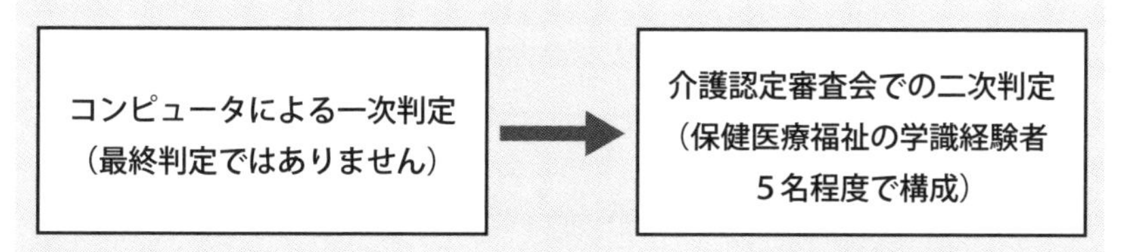

３．コンピュータによる一次判定は、その方の認定調査の結果を基に、約3,500人に対し行った「１分間タイムスタディ・データ」から推計します。

要介護度判定は「どれ位、介護サービスを行う必要があるか」を判断するものですから、これを正確に行うために介護老人福祉施設や介護老人保健施設等の施設に入所・入院されている3,500人の高齢者について、48時間にわたり、どのような介護サービス（お世話）がどれ位の時間にわたって行われたかを調べました（この結果を「1分間タイムスタディ・データ」と呼んでいます）。

4．(1) 一次判定のコンピュータシステムは、認定調査の項目等ごとに選択肢を設け、調査結果に従い、それぞれの高齢者を分類してゆき、「1分間タイムスタディ・データ」の中からその心身の状況が最も近い高齢者のデータを探しだして、そのデータから要介護認定等基準時間を推計するシステムです。この方法は樹形モデルと呼ばれるものです。

樹形モデルの簡単なイメージ

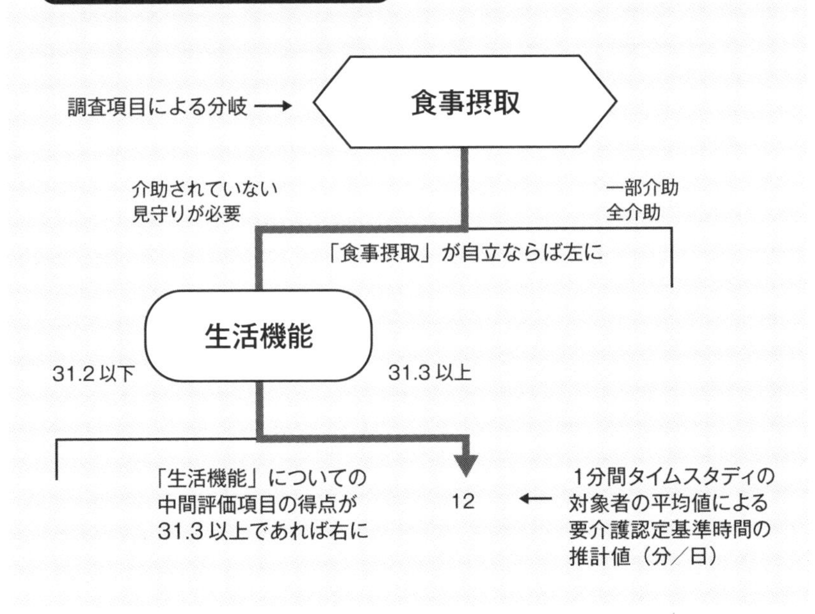

(2) 推計は、５分野（直接生活介助、間接生活介助、ＢＰＳＤ関連行為、機能訓練関連行為、医療関連行為）について、要介護認定等基準時間を算出し、その時間と認知症加算の合計を基に要支援１～要介護５に判定されます。

要支援１	要介護認定等基準時間が１日２５分以上３２分未満又はこれに相当すると認められる状態
要支援２	要介護認定等基準時間が１日３２分以上５０分未満又はこれに相当すると認められる状態
要介護１	要介護認定等基準時間が１日３２分以上５０分未満又はこれに相当すると認められる状態
要介護２	要介護認定等基準時間が１日５０分以上７０分未満又はこれに相当すると認められる状態
要介護３	要介護認定等基準時間が１日７０分以上９０分未満又はこれに相当すると認められる状態
要支援４	要介護認定等基準時間が１日９０分以上１１０分未満又はこれに相当すると認められる状態
要介護５	要介護認定等基準時間が１日１１０分以上又はこれに相当すると認められる状態

○ 要介護認定の一次判定は、要介護認定等基準時間に基づいて行いますが、これは１分間タイムスタディという特別な方法による時間であり、実際に家庭で行われる介護時間とは異なります。
○ この要介護認定等基準時間は、あくまでも介護の必要性を量る「ものさし」であり、直接、訪問介護・訪問看護等の在宅で受けられる介護サービスの合計時間と連動するわけではありません。

●その２　状態の維持・改善可能性に係る審査判定

１．予防給付対象者選定の考え方

予防給付対象者の選定は、要介護認定の枠組みの中で、介護の手間に係る審査に加え、高齢者の「状態の維持・改善可能性」の観点を踏まえた明確な基準に基づく審査・判定を通じて行う。

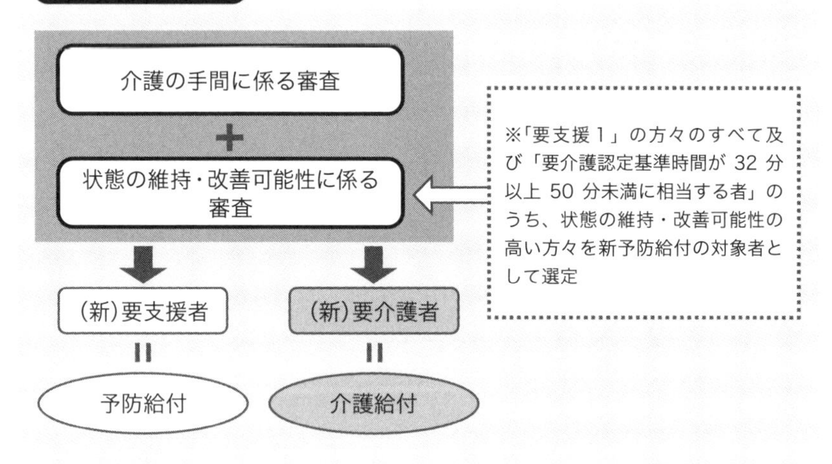

２．予防給付対象者選定手法

予防給付の対象は、「要支援１」の者すべてに加え、「要介護認定基準時間が３２分以上５０分未満に相当する者」に該当する者のうち、心身の状態が安定していない者や認知症等により予防給付等の利用に係る適切な理解が困難な者を除いた者とする。

予防給付等の適切な利用が見込まれない状態像は、以下のように考えられる。

(1) 疾病や外傷等により、心身の状態が安定せず、短期間で要介護状態等の再評価が必要な状態

• 脳卒中や心疾患、外傷等の急性期や慢性疾患の急性増悪期で不安定な状態にあり、医療系サービス等の利用を優先すべきもの
• 末期の悪性腫瘍や進行性疾患（神経難病等）により、急速に状態の不可逆的な悪化が見込まれるもの　等

これらの状態の判断は、運動器の機能向上のためのサービス等、個別サービスの利用の適格性に着目して行うのではなく、要介護状態が変動し易いため予防給付等そのものの利用が困難な事例が該当すると考えられる。

(2) 認知機能や思考・感情等の障害により、十分な説明を行ってもなお、予防給付等の利用に係る適切な理解が困難である状態

• 「認知症高齢者の日常生活自立度」が概ねII以上の者であって、一定の介護が必要な程度の認知症があるもの
• その他の精神神経疾患の症状の程度や病態により、予防給付等の利用に係る適切な理解が困難であると認められるもの

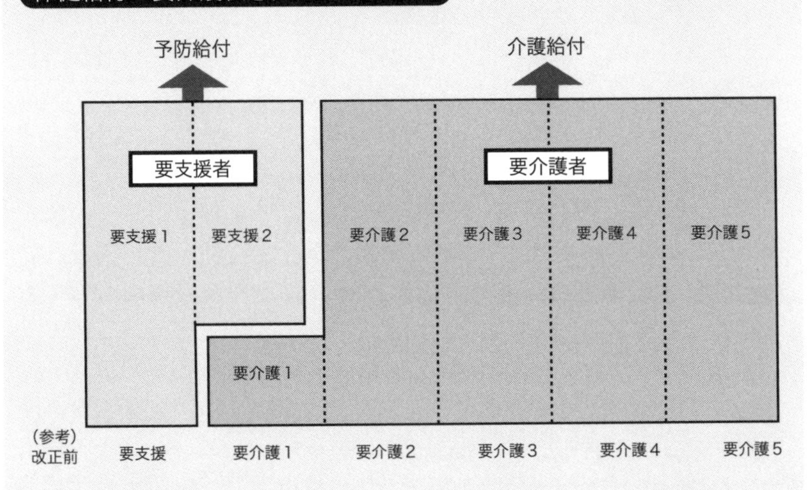

（1）要介護認定の流れ

【要介護認定の流れ】

① 申請

↓

② 認定調査（市区町村の認定調査員）

↓

③ 一次判定（コンピュータ判定）

↓

④ 二次判定（介護認定審査会の判定）及び主治医意見書

↓

⑤ 認定（利用者への結果通知）

申請は被保険者や家族が、市区町村の担当窓口や地域包括支援センターに申請書と被保険者証を提出します。

申請は、本人や家族の代わりに居宅介護支援事業者や介護保険施設の職員または民生委員などが申請することもできます。

訪問調査は、原則として市区町村の職員が行います。調査は基本調査74項目を質問形式で行います。

調査内容は、家族構成・住宅環境に加えて、身体機能・起居動作・生活機能・認知機能・精神、行動障害・社会生活への適応・特別な医療・日常生活自立度や過去14日間に受けた医療についても調査されます。

一次判定はコンピュータで行われます。訪問調査の基本調査の回答をコンピュータで分析し仮判定を行います。

二次判定では、市区町村が設置している介護認定審査会が行います。一次判定結果を基に主治医の意見書なども考慮し判定を行い、申請から30日以内に二次判定の結果とその理由、有効期間が記された「介護保険要介護認定、要支援認定等結果通知書」を利用者に通知します。

30日以内に結果通知ができない場合は、見込み期間と遅れる理由などが通知されることになります。

利用者が要介護認定の判定結果に不服がある場合には、結果通知を受け取った日の翌日から60日以内に、各都道府県に設置されている介護保険審査会に申し立てを行います。

（2）認定の有効期間

要介護認定は１度受ければずっと有効というものではなく、新規に認定を受けた場合は有効期間が原則６か月と決められていますが、必要に応じて３～12か月の範囲で決定されることもあります。

有効期間が終了しても、まだ介護が必要な状態であるときは「更新認定」を申請します。更新認定の有効期間は原則12か月と決められていますが、設定可能な有効期間として３か月～48か月とされています。

有効期間の途中で急に状態が悪化した場合は、市区町村に「認定区分変更」を申請し、要介護度の変更を求めることができます。

（3）介護サービスの利用

認定結果が要支援・要介護となった場合、介護サービスを利用することができます。居宅サービスや施設入所サービスの利用ができますが、要支援と認定された場合は、施設入所サービスを受けることはできません。

要介護１～５の認定を受けた場合は、『介護サービス計画』いわゆるケアプランを作成します。このケアプランは自身で作成することもできますが、一般的にはケアマネジャーに依頼します。自身で作成した場合は、ケアプランを市区町村に届け出ることが必要です。その後、利用者の同意のもとにサービス提供事業者と契約し、契約内容に基づいてサービスの提供を受けます。

要支援１・２の場合は、『介護予防サービス計画』の作成を行います。介護予防サービス計画は「地域包括支援センター」の保健師や主任介護支援専門員などが行い、サービス事業者と契約を交わしサービス提供を受けます。

サービスの開始については、申請日以降であれば提供を受けることができます。認定は申請日にさかのぼって行われるため、暫定的なケアプランを作成しサービスの提供を受けることになります。

チェックポイント！

地域包括支援センターとは何か

介護保険法で定められた地域住民の保健・福祉・医療の向上、虐待防止、介護予防マネジメントなどを総合的に行う機関である。各市区町村に設置され、保健師、主任ケアマネジャー、社会福祉士などが専門性を生かして相互連携しながら業務にあたる。

第2章

介護サービスの種種と介護施設の基礎知識

1 介護サービスの種類

介護サービスの種類は、『居宅サービス』『居宅介護支援サービス』『地域密着型サービス』『施設サービス』に分類されます。

（1）居宅サービス

・訪問サービス……訪問介護、訪問入浴介護、訪問看護、訪問リハビリテーション、居宅療養管理指導
・通所サービス……通所介護、通所リハビリテーション
・短期入所サービス……短期入所生活介護、短期入所療養介護
・その他……特定施設入居者生活介護、福祉用具貸与、特定福祉用具販売、住宅改修

・訪問介護
日常生活上の世話を行います。具体的には、入浴・排泄・食事の介護などになります。（介護福祉士・介護職員が行います）
・訪問入浴介護
浴槽を積んだ入浴車で訪問し入浴の介護を行います。（看護職員、介護職員などが行います）
・訪問看護
主治医の判断に基づき看護を行います。（看護職員・理学療法士・作業療法士・言語聴覚士などが行います）
・訪問リハビリテーション
主治医の判断に基づき、心身機能の維持回復や日常生活の自立に必要なリハビリテーションを行います。（理学療法士・作業療法士・言語聴覚士などが行います）
・居宅療養管理指導

医師が介護に関する療養上の必要な指導・助言を行います。（医師・歯科医師・薬剤師・管理栄養士・歯科衛生士などが行います）

・通所介護（デイサービス）

特別養護老人ホームやデイサービスセンターにおいて、日常生活上の世話や機能訓練を行います。（生活相談員・介護職員・看護職員・機能訓練指導員などが行います）

・通所リハビリテーション（デイケア）

介護老人保健施設や医療機関において、主治医の判断に基づいて心身機能の維持回復や日常生活の支援を行います。（医師・理学療法士・作業療法士・看護職員・介護職員などが行います）

・短期入所生活介護（ショートステイ）

介護老人福祉施設（特別養護老人ホームなど）において、日常生活上の世話や機能訓練を行います。（医師・生活指導員・看護職員・介護職員・栄養士・機能訓練指導員などが行います）

・短期入所療養介護（ショートステイ）

医学管理が必要な場合のショートステイで、介護老人保健施設や介護医療院などに入所します。看護や医学管理のもと介護、機能訓練その他必要な医療、日常生活上の世話を行います。（医師・薬剤師・看護職員・介護職員・栄養士・理学療法士・作業療法士などが行います）

・特定施設入居者生活介護

有料老人ホームやケアハウスなどの入居者に対するサービスで、日常生活上の世話、機能訓練、療養上の世話を行います。（生活相談員・看護職員・介護職員・機能訓練指導員などが行います）

・福祉用具貸与

車椅子、ベッドなどの福祉用具を貸与します。

・特定福祉用具販売

レンタルに向かない福祉用具（特定福祉用具・６種目※）の購入費を支給します。支給は４月１日から１年間を管理期間として10

万円を限度とし、費用の９割が償還払いになります。
※特定福祉用具・６種目……腰掛便座・自動排泄処理装置（特殊尿器）の交換可能部品・排泄予測支援機器・入浴補助用具・簡易浴槽・移動用リフトのつり具
・住宅改修
手すりの取付けや段差解消など小規模な住宅改修の費用を20万円まで支給します。原則１人につき１回（20万円までなら何度かに分けてもよい）の支給ですが、要介護度が３段階以上上がった場合は、１人１回に限り、それまでの支給額にかかわらず、再度20万円までの給付を受けることができます。

（2）居宅介護支援サービス

介護支援専門員（ケアマネジャー）がケアプラン作成などを行います。

（3）地域密着型サービス

定期巡回・随時対応型訪問介護看護、夜間対応型訪問介護、地域密着型通所介護、認知症対応型通所介護（認知症対応型デイサービス）、小規模多機能型居宅介護、認知症対応型共同生活介護（グループホーム）、地域密着型特定施設入居者生活介護、地域密着型介護老人福祉施設入所者生活介護、看護小規模多機能型居宅介護。

（4）施設サービス

介護老人福祉施設、介護老人保健施設、介護医療院のいずれかに入所して受けるサービスです。

② 介護保険にかかわる施設を「人員や設備基準」から見ていこう

介護保険が関連する施設は多岐にわたり、非常に複雑です。一般の方が資料を見て判断するのは困難だといえます。まず、介護保険が関係する施設の概要を見ていきましょう。

各事業所や施設には、**人員や設備の基準**が設けられており、この内容を確認することで、どのようなことができるのかが判断しやすくなるといえます。

（1）訪問介護を行う事業所

「身体介護」や「生活援助」を行う事業所になります。一般的な名称としては、○○ホームヘルプサービス、○○ケアセンター、○○訪問介護事業所、○○ヘルパーステーションなどが多く見られます。また設置するには法人格が必要となりますが、営利を目的にして設立される株式会社でも申請が認められていることから、株式会社○○などの名称も多く見受けられます。

このような事業を営むには、「指定居宅サービス等の事業の人員設備及び運営に関する基準第2章」に定められた内容をクリアしていることが必要になります。各基準の概要については次のようになります。

【設備＆運営基準！】

・法人格………必要

・従業員………介護福祉士その他の指定訪問介護の提供にあたる従業員を常勤換算で2.5名以上

・サービス提供責任者………利用者の数が40人又はその端数を増すごとに１人以上をサービス提供責任者として常勤で専従配置

・管理者……常勤の管理者1名

（2）訪問入浴介護、介護予防訪問入浴介護を行う事業所

自宅に浴槽など必要な機材等を持参して入浴サービスを提供する事業所になります。自宅などにおいて介助があっても入浴が困難な方に提供するサービスなので、重度なケースが多いといえます。そのため、人員配置においても看護職員の配置が義務付けられています。「指定居宅サービス等の事業の人員設備及び運営に関する基準第3章」に定められた内容をクリアしていることが必要になります。

【設備&運営基準！】

・法人格………必要
・従業員
　要介護者の場合→看護職員（看護師、准看護師）１名
　　　　　　　　　介護職員２名（そのうち１名は常勤）
　要支援者の場合→看護職員（看護師、准看護師）１名、
　　　　　　　　　介護職員１名　(そのうち１名は常勤)
・管理者………常勤の管理者１名

（3）訪問看護、介護予防訪問看護を行う事業所

病院や診療所等の医療機関が行う場合（みなし指定）や訪問看護ステーションが行う場合があります。

訪問看護を行うためには医師の指示書が必要になり、担当するのは看護師、准看護師、保健師、理学療法士、作業療法士、言語聴覚士になります。病院や診療所が行う場合、法人格は必要ではありませんが、訪問看護ステーションが当該事業を行う場合は法人格が必要となります。訪問看護では、褥瘡の予防・処置、ターミナルケア、摘便などの医療処置が受けられますが、原則として週３日が限度とされています。

ただし、末期の悪性腫瘍などに厚生労働大臣が定める疾病等に該

当する場合は、週４回以上の訪問看護が認められています。
　また、訪問看護は医療保険、介護保険ともに定められていますが、**請求においては介護保険が優先**されることになっています。根拠法令は「指定居宅サービス等の事業の人員設備及び運営に関する基準第４章」になります。

【設備&運営基準！】
◎保険医療機関の場合
・法人格………不要（指定があったものとみなされる。いわゆるみなし指定）
・人員基準………訪問看護に従事する、保健師、看護師、准看護師いずれか。（非常勤可、兼務可）
◎訪問看護ステーションの場合
法人格………必要（各都道府県で指定基準あり）
・人員基準
　看護職員→保健師、看護師、准看護師を常勤換算で2.5人以上
　　　　　（うち１人は常勤）
　理学療法士、作業療法士、言語聴覚士→実情に応じた必要数で配置の必要がなければ不要
・管理者………訪問看護ステーションごとに専従かつ常勤の管理者が必要

（4）訪問リハビリテーション等を行う事業所
　医師の指示に基づき理学療法士や作業療法士などの職員が、患者様の自宅に出向き提供するサービスを訪問リハビリテーションと呼んでいます。
　先の訪問看護と同様に医療保険、介護保険ともに設定されているサービスですが、介護保険では維持期のリハビリテーションが対象となっています。訪問リハビリテーションでは、身体機能の維持・改善、ＡＤＬ指導などのサービスが提供されます。

厚生労働省「介護給付費等実態統計（令和４年４月）」によると病院・診療所が3994施設、介護老人保健施設の1200施設が訪問リハビリテーションを実施しています。「指定居宅サービス等の事業の人員設備及び運営に関する基準第５章」が根拠法令になります。

【設備&運営基準！】

・法人格………不要（保険医療機関・介護老人保健施設・介護医療院は指定があったものとみなされる。いわゆるみなし指定）

・人員基準

医師→専任の常勤医師１名以上（外来診療等の兼務可）

従業者→訪問リハビリテーションの提供にあたる理学療法士、作業療法士、言語聴覚士のいずれかの配置で実施者は非常勤でも可

（5）居宅療養管理指導等を行う事業所

医師、歯科医師、薬剤師、管理栄養士、歯科衛生士、看護師などが患家に出向き、療養上の管理・指導を行うことを居宅療養管理指導と呼んでいます。

病院や診療所などの他に薬局などが行う場合もあります。「指定居宅サービス等の事業の人員設備及び運営に関する基準６章」が根拠法令になります。

【設備＆運営基準！】

◎保険医療機関の場合

・法人格………不要（保険医療機関は指定があったものとみなされる。いわゆるみなし指定）

・人員基準

医師、歯科医師（実施者は非常勤でも可）

薬剤師（実施者は非常勤でも可）

管理栄養士（栄養士は不可、実施者は非常勤でも可）

歯科衛生士等（歯科衛生士、保健師、看護師、准看護師のいずれ

かの職員。実施者は非常勤でも可）
◎薬局の場合
・法人格………不要（保険薬局は指定があったものとみなされる）
・人員基準………薬剤師（実施者は非常勤でも可）

（6）通所介護(デイサービス)を行う事業所

通称デイサービスと呼ばれ、特別養護老人ホームやデイサービスセンターに日帰りで通いサービスを受けます。提供されるサービスは、入浴や食事、健康状態の確認、機能訓練などがあります。

法令の基本方針としては、「**指定居宅サービスに該当する通所介護（以下「指定通所介護」という）の事業は、要介護状態となった場合においても、その利用者が可能な限りその居宅において、その有する能力に応じ自立した日常生活を営むことができるよう、必要な日常生活上の世話及び機能訓練を行うことにより、利用者の社会的孤立感の解消及び心身の機能の維持並びに利用者の家族の身体的及び精神的負担の軽減を図るものでなければならない。**」とされています。

デイサービスを利用する人は年々増加し、**2024年度においては1184万9000人**となっており、介護サービス受給者の多くが利用しているサービスです。「指定居宅サービス等の事業の人員設備及び運営に関する基準７章」が根拠法令になります。

【設備&運営基準！】
・法人格………必要（指定を要する）
・人員基準………機能訓練指導員１名（理学療法士、作業療法士、言語聴覚士、看護職員、柔道整復師、あん摩マッサージ指圧師又は6カ月以上の機能訓練指導に従事したはり師、きゅう師等の有資格者）
◎定員10名以下の場合
生活相談員→提供時間帯を通じて１名

介護職員→提供時間帯を通じて１名
看護職員→提供時間帯を通じて１名（いずれか１名常勤）
◎定員11名以上の場合
生活相談員→提供時間帯を通じて１名
介護職員→定員15名までは提供時間帯を通じて１名
看護職員→通所介護の単位ごとに１名
・管理者………常勤の管理者１名
・施設基準………食堂と機能訓練室（兼用可）を合計した面積が利用者１名あたり３㎡以上
・相談室（会話内容が漏洩しない配慮が必要）

（7）通所リハビリテーション等を行う事業所

通称デイケアと呼ばれるサービスですが、病院や診療所などの医療機関や介護老人保健施設に通所してきた利用者に対して、リハビリテーションを提供するのが通所リハビリテーションです。このサービスを提供できるのは、先に述べた施設だけになりますが、受けられるサービスは理学療法や作業療法になることから、理学療法士（ＰＴ）、作業療法士（ＯＴ）などの配置が義務付けられています。
①病院、介護老人保健施設、介護医療院の場合
・法人格……不要（保険医療機関は指定があったものとみなされる。いわゆるみなし指定。介護老人保健施設、介護医療院については必要）
・人員基準
専任常勤医師１名以上（専任常勤医師は外来診療等の兼務可）
従業者→１単位当たり、通所リハビリテーション利用者数に対する専従従事者数は　10：1
※利用者が10名以下の場合は１以上
※1単位とは、同時に一体的に提供される通所リハビリテーションをいう

※専従者にカウントできる職員は、理学療法士、作業療法士、言語聴覚士、看護師、准看護師、介護職員

※上記は抜粋であり、その他の基準もあります

・施設基準……利用者定員×３㎡以上の専用施設

※介護老人保健施設、介護医療院においては食堂面積も算入可

②診療所の場合

・法人格……不要（保険医療機関は指定があったものとみなされる。いわゆるみなし指定）

・人員基準……医師→利用者の数が同時に10人を超える場合は、専任常勤医師１名以上（外来診療などとの兼務可）。利用者の数が同時に10名以下の場合は、専任医師１名以上

※医師1人に対して患者１日48人以内

従業者→1単位当たり、通所リハビリテーション利用者数に対する専従従事者数は　10：１

※利用者が10名以下の場合は１以上

※１単位とは、同時に一体的に提供される通所リハビリテーションをいう

※専従者にカウントできる職員は、理学療法士、作業療法士、言語聴覚士、看護師、准看護師、介護職員

※上記は抜粋であり、その他、研修などの基準もあります

・施設基準……利用者定員×３㎡以上の専用施設

（8）短期入所生活介護等を行う事業所

通称、ショートステイと呼ばれるサービスです。特別養護老人ホームや介護老人保健施設、有料老人ホームに短期間入所し、食事や入浴、機能訓練などのサービスを受けることができます。単独施設と併設事業所で施設基準が一部異なりますが、特別養護老人ホームなど以外の短期入所生活介護事業所は一般企業でも行うことができますが、現実的には難しいことが多く、下記では併設事業所のケースを記載しておきます。「指定居宅サービス等の事業の人員設

備及び運営に関する基準９章」が根拠法令になります。
・法人格……必要
・人員基準
　医師→１名以上
　生活相談員
　→①単独施設の場合…利用者100：１以上（常勤換算）、１人以上は常勤
　→②併設事業所の場合…利用者定員20人未満は100：１以上（常勤換算）
　看護師、准看護師、介護職員→常勤換算で利用者３：１以上（うち１人は常勤）
　※夜間の配置基準あり
　栄養士１名以上（40人以下の他の社会福祉施設等の栄養士と連携を図ることで利用者の処遇に支障がない場合は配置しないことができる）
　機能訓練指導員１名以上
　※理学療法士、作業療法士、言語聴覚士、看護職員、柔道整復師、またはあん摩マッサージ指圧師または6カ月以上機能訓練指導に従事した、はり師、きゅう師の資格を有する者
　調理員その他の従事者……実情に応じた適当数
　管理者……常勤の管理者を配置する

（9）短期入所者療養介護等を行う事業所

　短期入所療養介護についてもショートステイと呼ばれますが、短期入所生活介護との違いは、医療ケア等の医療サービスを受けられる点です。
　したがって医学的管理を必要とする利用者を、療養病床を持つ病院や診療所、介護老人保健施設などが受け入れてサービスを提供します。サービスの詳細としては、検査・処置・リハビリテーション・ターミナルケア等があります。

【共通項目】
①介護老人保健施設の場合
・法人格……不要（保険医療機関に限る）
・人員基準、施設基準……介護老人保健施設の指定を受けた時点で指定を受けることになる
②療養病床を有する病院・診療所の場合
・法人格……不要（保険医療機関に限る）
・人員基準、施設基準……医療法に規定する必要とされる人数及び設備
③診療所の一般病床
・法人格……不要（保険医療機関に限る）
・人員基準……入院患者に対する看護要員が３：１以上
※夜間の緊急連絡体制を整備し、看護要員を１人以上配置
・施設基準……病床床面積は入院患者１人あたり４㎡以上
食堂（なくても可だが減算あり）
浴室
機能訓練を行う場所

（10）居宅介護支援を行う事業所

いわゆるケアマネジメントのことを居宅介護支援と呼んでいます。担当のケアマネジャーが、利用者やその家族からの相談を受けて、介護認定申請の手伝いやケアプランを作成します。このようなサービスを行うのが居宅介護支援事業所になります。

「指定居宅介護支援等の事業の人員及び運営に関する基準」が根拠法令になります。
①居宅介護支援事業所、要介護者に対する居宅介護支援の場合
法人格………必要
人員基準……管理者→常勤の介護支援専門員１名
従業者→利用者44名に介護支援専門員１人を標準（うち１人は常勤）

3 介護関連施設の「特別養護老人ホーム」と「高齢者向け賃貸住宅」

これまで介護保険に関係するサービスを提供する施設について解説してきましたが、多くの施設サービスの提供に関わっていることがわかります。

この項では、介護関連施設について解説していきます。介護関連の施設や住宅は、目的によって多岐にわたっています。大別すると厚生労働省が普及を推進している特別養護老人ホームなどと、国土交通省において普及を推進している、高齢者向け賃貸住宅に分類されます。

（1）福祉施設（老人福祉法に基づいて設置された公共施設）

1　特別養護老人ホーム（介護老人福祉施設）

一般的に特養と呼ばれている施設で、老人福祉法第25条の５に規定されています。特別養護老人ホームは、低コストで要介護者に対してサービスを提供している施設になります。

運営は地方自治体や社会福祉事業を行うことを目的として設立されている、社会福祉法人が主体となっています。他の施設では入居時に一時金などが発生する場合もありますが、特養では一時金はなく月額15万円以内で利用できることが多くなっています。

また終身利用も可能であり、待機者が多くなっている傾向にあります。施設において受けられるサービスとしては、食事・入浴・機能訓練・排泄介助・通院の付き添いなどが挙げられます。

認知症にも対応していますが、医師の配置は「入所者に健康管理及び療養上の指導を行うために必要な人数」しか配置されておらず、配置されている医師の専門外の傷病や緊急の場合などで管理者の依頼があった場合は、他の保険医療機関から医師が出向き診療に従事することになります。
　また、看護師を夜間に配置する規定がないために、24時間医療ケアが必要な状態にある場合は、入所することができないことになります。

①介護老人福祉施設の施設基準
・法人格
　老人福祉法第25条の５に規定する特別養護老人ホーム
・人員配置
　医師→入所者に健康管理及び療養上の指導をおこなうために必要な人数
　生活相談員→社会福祉主事、または同等の能力を有する者を常勤で１名以上（入所者100：１以上）
　看護師、准看護師、介護職員→入所者数によって規定あり。夜間も別途規定あり
　栄養士→１名以上
（４０人以下の他の社会福祉施設等の栄養士と連携を図ることで、利用者の処遇に支障がない場合は配置しなくてもよい）
　機能訓練指導員→１名以上、理学療法士、作業療法士、言語聴覚士、看護職員、柔道整復師、またはあん摩マッサージ指圧師または6カ月以上機能訓練指導に従事したはり師、きゅう師の資格を有する者）
　介護支援専門員→常勤１名以上（入所者100：1を標準）
・設備基準（従来型）
　定員４名以下（１人当たりの床面積は10.65㎡以上）
　※ブザーなどが必要
　※その他、静養室、浴室、洗面設備、便所、機能訓練室、食堂、医務室、廊下幅（1.8ｍ以上、中廊下は2.7ｍ以上）等について規定あり

※その他、ユニット型について設備基準が定められている。

2　介護老人保健施設

通称、**老健**と呼ばれる施設で、運営は地方自治体や医療法人、社会福祉法人などが行っています。介護保険法第８条第28項では定義が定められており、

「介護老人保健施設とは、要介護者であって、主としてその心身の機能の維持回復を図り、居宅における生活を営むことができるようにするための支援が必要である者に対し、施設サービス計画に基づいて、看護、医学的管理の下における介護及び機能訓練その他必要な医療並びに日常生活上の世話を行うことを目的とする施設。」

とされています。

介護老人保健施設の人員、施設及び設備並びに運営に関する基準（平成11年厚生省令第40号）基本方針の第一条の二では、

「介護老人保健施設は、施設サービス計画に基づいて、看護、医学的管理の下における介護及び機能訓練その他必要な医療並びに日常生活上の世話を行うことにより、入所者がその有する能力に応じ自立した日常生活を営むことができるようにすることとともに、その者の居宅における生活への復帰を目指すものでなければならない。」

と定められています（介護老人保健施設の人員、施設及び設備並びに運営に関する基準、平成11年厚生省令第40号。）

このような規定を見てもわかる通り、介護老人保健施設は自宅と病院の中間に位置付けられる施設といえます。

2016年の統計データでは、95.6%の入所者が認知症を持っており、70.71%は寝たきりの状態にあり、入所日数は原則３カ月とされているにもかかわらず、必然的に平均在所日数は長くなり、2013年データでは311.3日でした。

入所一時金は不要で、月額15万円程度までで入居できるところ

が多いようです。ただし、要支援者は入所することができないことになっています。

特別養護老人ホームとは異なり、医師の配置が義務付けられています。このことから他の医療施設からの診療は認められませんが、診療上必要があると判断される場合の往診は、併設医療機関以外であれば可能となっています。

①介護老人保健施設（基本型）の施設基準

・法人格

地方公共団体、医療法人、社会福祉法人等

・人員配置

医師→100：１以上（うち常勤医１人以上、常勤換算可）

薬剤師→実情に応じた必要数（300：１）

看護師、准看護師→看護要員の総数７分の２が看護職員

介護職員→看護要員の総数の７分の５が介護職員

※看護＋介護３：１以上

※夜間は看護要員２以上（40人以下でオンコール体制の場合は看護要員１以上）

支援相談員→100：１以上（保健医療及び社会福祉に関する相当な学識経験を有する常勤職員）

理学療法士、作業療法士、言語聴覚士→常勤換算で100：１以上

栄養士→１名以上

（入所定員100人以下の場合は１名以上。）

介護支援専門員→常勤１名以上（入所者100：１を標準）

調理員、事務員、その他の従業者→実情に応じた適当数

・設備基準

療養室→定員４名以下（１人当たりの床面積は８㎡以上）

※地階に設けてはならない等、その他の規定あり。

※その他、浴室、洗面所、便所、機能訓練室、食堂、談話室、レクリエーションルーム、サービスステーション、診察室、耐火

構造、エレベーター、階段、廊下幅（1.8ｍ以上、中廊下は2.7ｍ以上）、調理室、洗濯室、汚物処理室等について規定あり。
※その他、介護医療院等に関する規定あり。

第3章

介護報酬算定の基礎知識

1 介護報酬の算定方法
【ケアプランとサービスコードに基づく算定】

介護報酬は「ケアプラン」「サービスコード」に基づいて算定を行います。

<ケアプランに基づく算定>

サービスは、ケアマネジャーが作成したケアプランに基づいて行われます。

ケアプランの内容と異なるサービスを提供しても、その算定をして国保連に請求することはできません。

<サービスコードに基づく算定>

サービスコードは6桁の番号で、上2桁はサービスの種類ごとに決められた種類コード、残りの4桁はサービス内容を表す項目コードです。

サービスコードとは、提供するサービス内容と時間を勘案して、数字で表したものです。

居宅サービスや施設サービスなどの介護報酬は単位で定められています。

この単位数に地域区分単価が設定されています。

この地域区分単価は、地域ごとの物価や人件費などを考慮して8段階（1級地～7級地・その他）で定められています。

たとえば、大阪市は2級地になりますが、身体介護（日中30分未満）のサービスを受けた場合は次のように算定します。

（例）

身体介護　244単位×地域区分単価11.12円＝2,713円（小数点以

下切り捨て）となります。地域区分の単価及び地域区分については次のページを参照してください。

（1）端数処理

介護報酬の算定を行う際には、単位数に加算したり単価を乗じると端数が生じることがあります。この端数については、単位数に端数が生じた場合は、1単位未満を四捨五入し、金額に端数が生じた場合は1円未満を切り捨てることになります。

（2）介護報酬の割引

福祉系サービスの場合、介護報酬の割引を行うことができます。事業所や施設は厚生労働大臣の定める基準額より低い額でサービスを提供することを認められています。割引率は「％」で表示されます。

●割引が可能なサービス

居宅サービス 介護予防サービス	訪問介護 （介護予防）訪問入浴介護 （介護予防）通所介護 短期入所生活介護 （介護予防）特定施設入居者生活介護
施設サービス	介護福祉施設サービス
地域密着型（介護予防）サービス	定期巡回・随時対応型訪問介護看護 夜間対応型訪問介護 地域密着型通所介護 （介護予防）認知症対応型通所介護 （介護予防）小規模多機能型居宅介護 （介護予防）認知症対応型共同生活介護 地域密着型特定施設入居者生活介護 地域密着型介護老人福祉施設入所者生活介護 複合型サービス（看護小規模多機能型居宅介護）

●１単位の単価-その①

	サービスの種類	１級地	２級地	３級地	４級地	５級地	６級地	７級地	その他
介護給付	・訪問介護 ・訪問入浴介護 ・訪問看護 ・定期巡回・随時対応型訪問介護看護 ・夜間対応型訪問介護 ・居宅介護支援	11.40 円	11.12 円	11.05 円	10.84 円	10.70 円	10.42 円	10.21 円	10.00 円
介護給付	・訪問リハビリテーション ・通所リハビリテーション ・短期入所生活介護 ・認知症対応型通所介護 ・小規模多機能型居宅介護 ・看護小規模多機能型居宅介護	11.10 円	10.88 円	10.83 円	10.66 円	10.55 円	10.33 円	10.17 円	10.00 円

●1単位の単価-その②

	サービスの種類	1級地	2級地	3級地	4級地	5級地	6級地	7級地	その他
介護給付	・通所介護 ・短期入所療養介護 ・特定施設入居者生活介護 ・地域密着型通所介護 ・認知症対応型共同生活介護 ・介護福祉施設サービス ・介護保健施設サービス ・介護医療院サービス ・地域密着型特定施設入居者生活介護 ・地域密着型介護老人福祉施設入所者生活介護	10.90円	10.72円	10.68円	10.54円	10.45円	10.27円	10.14円	10.00円
介護給付	・居宅療養管理指導 ・福祉用具貸与	10.00円	10.00円	10.00円	10.00円	10.00円	10.00円	10.00円	10.00円

※サービス種類については、介護予防サービスのある居宅サービス及び地域密着型サービスは介護予防サービスを含む。
※令和6（2024）年度から令和8（2026）年度までの間の地域単価

●地域区分-その①

地区区分	都道府県	地　域
1級地	東京都	23区（千代田区、中央区、港区、新宿区、文京区、台東区、墨田区、江東区、品川区、目黒区、大田区、世田谷区、渋谷区、中野区、杉並区、豊島区、北区、荒川区、板橋区、練馬区、足立区、葛飾区、江戸川区）
2級地	東京都	狛江市、多摩市、町田市、調布市
	神奈川県	横浜市・川崎市
	大阪府	大阪市
3級地	埼玉県	さいたま市
	千葉県	千葉市、浦安市
	東京都	八王子市、武蔵野市、府中市、調布市、小金井市、小平市、日野市、東村山市、清瀬市、国分寺市、東久留米市、稲城市、西東京市、三鷹市、青梅市、国立市
	神奈川県	鎌倉市、厚木市
	愛知県	名古屋市、刈谷市、豊田市
	大阪府	守口市・大東市・門真市・四条畷市
	兵庫県	西宮市・芦屋市・宝塚市
4級地	茨城県	牛久市
	埼玉県	朝霞市、志木市、和光市
	千葉県	船橋市、浦安市、習志野市
	東京都	立川市、昭島市、東大和市
	神奈川県	相模原市、横須賀市、藤沢市、厚木市、逗子市、三浦市、海老名市
	愛知県	刈谷、豊田市
	大阪府	豊中市、池田市、吹田市、高槻市、寝屋川市、箕面市、四條畷市
	兵庫県	神戸市
5級地	茨城県	龍ケ崎市、取手市、つくば市、守谷市、水戸市、日立市
	埼玉県	川口市、草加市、戸田市、新座市、八潮市、ふじみ野市
	千葉県	佐倉市、市原市、四街道市、八千代市、袖ケ浦市、印西市、市川市、松戸市、栄町
	東京都	福生市、あきる野市、日の出町
	神奈川県	横須賀市、平塚市、小田原市、茅ヶ崎市、大和市、伊勢原市、座間市、葉山市、寒川町、綾瀬市、愛川町
	愛知県	知多市、豊明市、みよし市
	滋賀県	大津市、草津市、栗東市
	京都府	京都市、長岡京市
	大阪府	堺市、枚方市、茨木市、八尾市、松原市、摂津市、高石市、東大阪市、交野市
	兵庫県	尼崎市、伊丹市、川西市、三田市
	広島県	広島市、府中町
	福岡県	春日市、福岡市
6級地	宮城県	仙台市、多賀城市
	茨城県	土浦市、古河市、利根町
	栃木県	宇都宮市、下野市、野木町
	群馬県	高崎市
	埼玉県	川越市、川口市、行田市、所沢市、飯能市、加須市、東松山市、春日部市、狭山市、羽生市、鴻巣市、上尾市、越谷市、草加市、蕨市、戸田市、入間市、桶川市、久喜市、北本市、八潮市、富士見市、三郷市、蓮田市、坂戸市、幸手市、鶴ヶ島市、吉川市、白岡市、伊奈町、三芳町、宮代町、杉戸町、松伏町
	千葉県	木更津市、柏市、袖ヶ浦市、酒々井市、野田市、茂原市、流山市、我孫子市、鎌ケ谷市、白井市
	東京都	武蔵村山市、羽村市、奥多摩町、瑞穂町、檜原村
	神奈川県	三浦市、秦野市、葉山町、大磯町、二宮町、中井町、清川村
	岐阜県	岐阜市
	静岡県	静岡市

●地域区分-その② 自治体：1741（令和5年12月1日現在）

地区区分	都道府県	地　域
6級地	愛知県	岡崎市、一宮市、瀬戸市、春日井市、津島市、碧南市、安城市、西尾市、犬山市、江南市、稲沢市、尾張旭市、岩倉市、知立市、愛西市、北名古屋市、弥富市、あま市、大治町、蟹江町、豊明市、日進市、長久手市、東郷町、清須市、豊山町、飛島村
	三重県	津市、四日市市、桑名市、鈴鹿市、亀山市
	滋賀県	彦根市、守山市、甲賀市
	京都府	宇治市、亀岡市、城陽市、向日市、長岡京市、八幡市、京田辺市、木津川市、大山崎町、精華町
	大阪府	岸和田市、泉大津市、貝塚市、泉佐野市、富田林市、河内長野市、和泉市、柏原市、羽曳野市、藤井寺市、泉南市、大阪狭山市、阪南市、島本町、豊能町、能勢町、忠岡町、熊取町、田尻町、岬町、太子町、河南町、千早赤阪村
	兵庫県	明石市、猪名川町
	奈良県	奈良市、大和高田市、大和郡山市、生駒市
	和歌山県	和歌山市、橋下市
	福岡県	大野城市、太宰府市、福津市、糸島市、那珂川町、粕屋町
7級地	北海道	札幌市
	茨城県	結城市、下妻市、常総市、笠間市、ひたちなか市、那珂市、筑西市、坂東市、稲敷市、つくばみらい市、大洗町、阿見町、河内町、八千代町、五霞町、境町
	栃木県	栃木市、鹿沼市、日光市、小山市、真岡市、大田原市、さくら市、下野市、壬生町
	群馬県	前橋市、伊勢崎市、太田市、渋川市、榛東村、吉岡町、玉村町
	埼玉県	熊谷市、深谷市、日高市、毛呂山町、越生町、滑川町、川島町、吉見町、鳩山町、寄居町
	千葉県	木更津市、東金市、君津市、八街市、山武市、大網白里市、長柄町、長南町、富里市
	神奈川県	南足柄市、箱根町、山北町
	新潟県	新潟市
	富山県	富山市
	石川県	金沢市
	福井県	福井市
	山梨県	甲府市、南アルプス市、南部町
	長野県	長野市、松本市、塩尻市
	岐阜県	大垣市、多治見市、美濃加茂市、各務原市、可児市
	静岡県	浜松市、沼津市、三島市、富士宮市、島田市、富士市、磐田市、焼津市、掛川市、藤枝市、御殿場市、袋井市、裾野市、函南町、清水町、長泉町、小山町、川根本町、森町
	愛知県	豊橋市、一宮市、半田市、豊川市、蒲郡市、犬山市、常滑市、江南市、小牧市、新城市、東海市、大府市、知多市、尾張旭市、高浜市、岩倉市、田原市、大口町、扶桑町、阿久比町、東浦町、幸田町、武豊町
	三重県	名張市、いなべ市、伊賀市、木曽岬町、東員町、朝日町、川越町
	滋賀県	長浜市、近江八幡市、野洲市、湖南市、東近江市、高島市、日野町、竜王町
	京都府	城陽市、大山崎町、久御山町
	兵庫県	姫路市、加古川市、三木市、高砂市、稲美町、播磨町
	奈良県	大和高田市、天理市、橿原市、桜井市、御所市、香芝市、葛城市、宇陀市、山添村、平群町、三郷町、斑鳩町、安堵町、川西町、三宅町、田原本町、曽爾村、明日香村、上牧町、王寺町、広陵町、河合町
	岡山県	岡山市
	広島県	東広島市、廿日市市、海田町、熊野町、坂町
	山口県	周南市
	香川県	高松市
	福岡県	北九州市、飯塚市、筑紫野市、古賀市
	長崎県	長崎市
その他の地域	すべての都道府県	そのほかの市区町村、全ての介護保険サービスで1単位当たりの単価は10円で計算となっています。

（3）高額介護サービス費制度とは何か

高額介護サービス費制度とは、介護保険のサービスを利用した月の利用者負担合計額（同じ世帯内に複数の利用者がいる場合は世帯合計額）が一定の額を超えた時にあとから支給される制度です。

区　分		世　帯	個　人
住民税 課税世帯の方	課税所得690万円 (年収1,160万円) 以上	140,100円	140,100円
	課税所得380万円 (年収770万円) 以上 課税所得690万円 (年収1,160万円) 未満	93,000円	93,000円
	上記以外の市町村民税課税世帯の方	44,400円	44,400円
世帯全員が 住民税非課税 の方	前年の公的年金等収入金額＋その他の合計所得金額の合計が80万円を超える方	24,600円	24,600円
	前年の公的年金等収入金額＋その他の合計所得金額の合計が80万円以下の方	24,600円	15,000円
	老齢福祉年金受給者	24,600円	15,000円
	生活保護の被保護者	15,000円	15,000円

●介護保険施設等における居住費の負担限度額の変更

（令和６年８月1日から変更）

<table>
<tr><th>利用者
負担段階</th><th colspan="2">補足給付の主な対象者
※非課税年金も含む</th><th>預貯金額
（夫婦の場合）</th></tr>
<tr><td rowspan="2">第１段階</td><td colspan="2">生活保護受給者</td><td>要件なし</td></tr>
<tr><td colspan="2">世帯全員が市町村民税非課税である老齢福祉年金受給者</td><td>1,000万円
（2,000万円）以下</td></tr>
<tr><td>第２段階</td><td rowspan="3">世帯全員が
市町村民税
非課税</td><td>年金収入額（※）＋
合計所得金額80万円
以下</td><td>650万円
（1,650万円）以下</td></tr>
<tr><td>第３段階①</td><td>年金収入額（※）＋
合計所得金額が80万
円超～120万円以下</td><td>550万円
（1,550万円）以下</td></tr>
<tr><td>第３段階②</td><td>年金収入額（※）＋
合計所得金額が120万
円超</td><td>500万円
（1,500万円）以下</td></tr>
</table>

※社会福祉法人等による利用者負担軽減制度事業も対象となる場合があります。
（事業を実施していない社会福祉法人等もあります。）

補足給付（低所得者の食費・居住費の負担軽減）の仕組み（令和6年8月〜）

○　食費・居住費について、利用者負担第１～第３段階②の方を対象に、所得に応じた負担限度額を設定。
○　**標準的な費用の額（基準費用額）と負担限度額との差額**を、介護保険から特定入所者介護（予防）サービス費として給付。

	利用者負担段階	主な対象者 ※ 平成28年８月以降は、非課税年金も含む。		預貯金額（夫婦の場合）（※）
負担軽減の対象となる低所得者	第1段階	・生活保護受給者		要件なし
		・世帯（世帯を分離している配偶者を含む。以下同じ。）全員が市町村民税非課税である老齢福祉年金受給者		1,000万円（2,000万円）以下
	第2段階	・世帯全員が市町村民税非課税	年金収入金額（※）＋合計所得金額が80万円以下	650万円（1,650万円）以下
	第3段階①		年金収入金額（※）＋合計所得金額が80万円超～120万円以下	550万円（1,550万円）以下
	第3段階②		年金収入金額（※）＋合計所得金額が120万円超	500万円（1,500万円）以下
	第4段階	・世帯に課税者がいる者 ・市町村民税本人課税者		

			基準費用額（日額（月額））	負担限度額（日額（月額））※短期入所生活介護等（日額）【】はショートステイの場合 第１段階	第２段階	第３段階①	第３段階②
食費			1,445円 （4.4万円）	300円 （0.9万円）【300円】	390円 （1.2万円）【600円（1.8万円）】	650円 （2.0万円）【1,000円（3.0万円）】	1,360円（4.1万円）【1,300円（4.0万円）】
居住費	多床室	特養等	915円 （2.8万円）	0円 （ 0万円）	430円 （1.3万円）	430円 （1.3万円）	430円 （1.3万円）
		老健・医療院等	437円 （1.3万円）	0円 （ 0万円）	430円 （1.3万円）	430円 （1.3万円）	430円 （1.3万円）
	従来型個室	特養等	1,231円 （3.7万円）	380円 （1.2万円）	480円 （1.5万円）	880円 （2.7万円）	880円 （2.7万円）
		老健・医療院等	1,728円 （5.3万円）	550円 （1.7万円）	550円 （1.7万円）	1,370円 （4.2万円）	1,370円 （4.2万円）
	ユニット型個室的多床室		1,728円 （5.3万円）	550円 （1.7万円）	550円 （1.7万円）	1,370円 （4.2万円）	1,370円 （4.2万円）
	ユニット型個室		2,066円 （6.3万円）	880円 （2.6万円）	880円 （2.6万円）	1,370円 （4.2万円）	1,370円 （4.2万円）

●出典　厚生労働省老健局介護保険計画課、老人保健課「介護保険最新情報」（令和6年８月からの 特定入所者介護（予防）サービス費の見直しに係る周知への協力依頼について）、Vol.1280、令和６年６月21日より

（4）介護保険と公費負担医療の関係

公費負担医療とは、国や地方公共団体が公費（税金など）を使って医療費の一部または全額を負担することをいいます。公費負担医療を受給するためには、一定の条件を満たし、受給資格を得る必要があります。また、公費負担医療には様々な種類があり、それぞれの公費によって受給の条件が異なります。受給資格のある人は、その制度の証明書により介護保険のサービスを利用した場合も公費を受給することができます。公費負担医療には次の2種類があります。

◎保険優先公費と公費優先公費

・保険優先公費

サービス費全額のうち、90%・80%（また70%）は介護保険から給付されます。残りの10%～30%の利用者負担分が公費負担医療の対象になります。施設サービスについては、公費の種類によって居住費や食費も公費負担医療の対象となります。

（例）

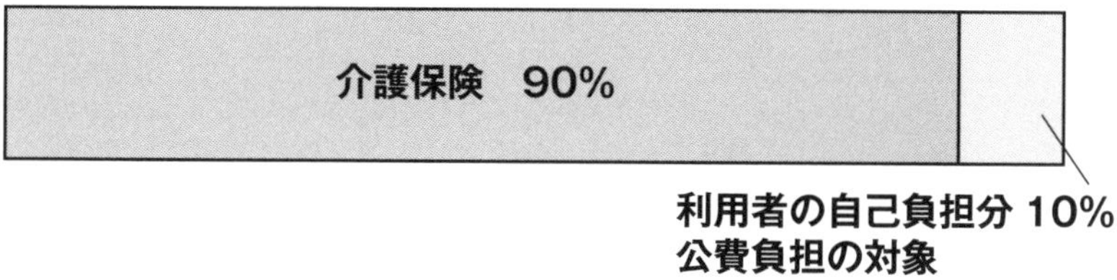

介護保険　90%

利用者の自己負担分 10%
公費負担の対象

・公費優先公費

サービス費全額が公費負担となります。介護保険からの給付はありません。

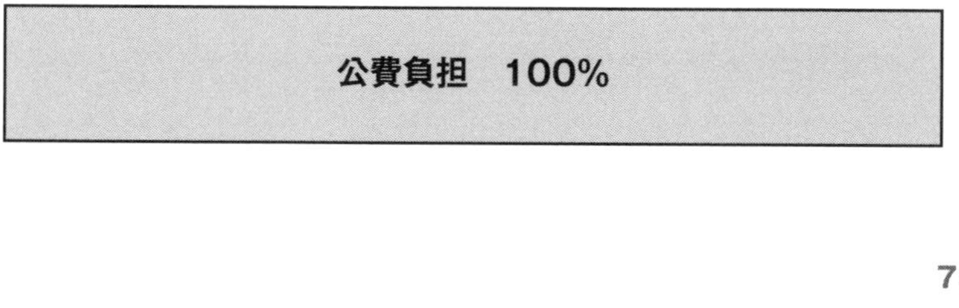

公費負担　100%

（5）支給限度基準額

介護保険には「支給限度基準額」という上限が設定されています。

これは利用者のサービス利用を制限する目的で作られています。上限設定がなければ、利用者はサービス費の１割を負担するだけで、いくらでもサービスを受けることができ、その結果、平等なサービスの提供ができなくなったり、介護保険制度の財政圧迫等の問題が生じてしまいます。支給限度基準額には厚生労働大臣が定めるもの（区分支給限度基準額・特定福祉用具販売・住宅改修の支給限度基準額）と市区町村が独自に定めるもの（種類支給限度基準額・上乗せサービス・横出しサービス）があります。

①厚生労働大臣が定める支給限度基準額

＜区分支給限度基準額（1月につき）＞

利用者の要介護度に合わせて７段階の限度額が決められています。要介護度が重いほど上限額が上がり、たくさんのサービスが受けられるしくみです。区分支給限度基準額を超えたサービスについては、保険給付の対象にはならず全額自己負担となります。

要支援 1	5032 単位
要支援 2	10531 単位
要介護 1	16765 単位
要介護 2	19705 単位
要介護 3	27048 単位
要介護 4	30938 単位
要介護 5	36217 単位

なお、居宅療養管理指導、特定施設入居者生活介護（短期利用の場合を除く）、居宅介護支援、認知症対応型共同生活介護（短期利用の場合を除く）、地域密着型特定施設入居者生活介護、地域密着型介護老人福祉施設入所者生活介護は限度額に含まれません。

また、月途中で要介護度が変更になった場合は、重い区分の支給限度基準額が適用されます。

②市区町村が独自に定める支給限度基準額

＜種類支給限度基準額＞

サービス種類ごとに個別に上限を設定します。市区町村が独自に設定しているもので、内容は市区町村ごとに異なります。

たとえば通所介護サービスが不足している市区町村の場合、通所介護に種類支給限度基準額を設定し、利用者に公平なサービスがいきわたるようにします。

（例）通所介護に種類支給限度基準額を設定している場合

・区分支給限度基準額　→　（要介護１）16765単位

・種類支給限度基準額　→　（通所介護）1200単位

例の場合、通所介護は月間合計単位で1200単位までしか保険給付されません。

1200単位を超えて通所介護サービスを受ける場合、1200単位を超えた分は全額利用者負担となります。

＜上乗せサービス＞

市区町村が独自に条例で定めて、介護保険の対象になっているサービス（居宅サービス、介護予防サービスなど）の回数や時間を国の規定の支給限度基準額以上に増やすサービスです。

（サービスの例：訪問介護の訪問回数を増やす）

＜横出しサービス＞

　市区町村が独自に条例で定めて、介護保険給付および予防給付の法定給付以外に行う特別給付および保健福祉事業のことです。

（サービスの例：給食サービス、移送サービス、理髪サービス、寝具の洗濯や乾燥、紙おむつの支給）

第4章

居宅サービスの算定ポイント
《資料編》

1 指定居宅サービス算定のポイント

介護保険法・指定居宅サービスに要する費用の額の算定に関する基準の一部を改正する告示（令和６年厚生労働省告示86号）、別表より（※厚生労働省HP、令和６年度介護報酬改定についての「介護報酬改定に関する省令及び告示」箇所参照）。

■指定居宅サービス介護給付費単位数表

1　訪問介護費

イ　身体介護が中心である場合

⑴　所要時間20分未満の場合　**163単位**

⑵　所要時間20分以上30分未満の場合　**244単位**

⑶　所要時間30分以上１時間未満の場合　**387単位**

⑷　所要時間１時間以上の場合　567単位に所要時間１時間から計算して所要時間30分を増すごとに82単位を加算した単位数

ロ　生活援助が中心である場合

⑴　所要時間20分以上45分未満の場合　**179単位**

⑵　所要時間45分以上の場合　**220単位**

ハ　通院等のための乗車又は降車の介助が中心である場合　**97単位**

注１　指定訪問介護事業所(指定居宅サービス等の事業の人員、設備及び運営に関する基準(平成11年厚生省令第37号。以下「指定居宅サービス基準」という)第5条第1項に規定する指定訪問介護事業所をいう。以下同じ)の訪問介護員等(同項に規定する訪問介護員等をいう。以下同じ)が、利用者(介護保険法施行令(平成10年政令第412号)第3条第1項第2号に規定する厚生労働大臣が定める者(指定居宅介護の提供に当たる者としてこども家庭庁長官及び厚生労働大臣が定めるもの等(平成18年厚生労働省告示第538号。注11において「居宅介護従業者基準」という)第1条第3号、第8号及び第13号に規定する者を除く)が指

定訪問介護(指定居宅サービス基準第4条に規定する指定訪問介護をいう。以下同じ)を行う場合にあっては、65歳に達した日の前日において、当該指定訪問介護事業所において事業を行う事業者が指定居宅介護(障害者の日常生活及び社会生活を総合的に支援するための法律に基づく指定障害福祉サービスの事業等の人員、設備及び運営に関する基準(平成18年厚生労働省令第171号。以下「指定障害福祉サービス等基準」という)第4条第1項に規定する指定居宅介護をいう)又は重度訪問介護(障害者の日常生活及び社会生活を総合的に支援するための法 律(平成17年法律第123号)第5条第3項に規定する重度訪問介護をいう。注11において同じ)に係る指定障害福祉サービス(同法第29条第1項に規定する指定障害福祉サ ービスをいう。注11において同じ)の事業を行う事業所において、指定居宅介護又は重度訪問介護に係る指定障害 福祉サービスを利用していた者に限る)に対して、指定 訪問介護を行った場合に、現に要した時間ではなく、訪問介護計画(指定居宅サービス基準第24条第1項に規定する訪問介護計画をいう。以下同じ)に位置付けられた内容の指定訪問介護を行うのに要する標準的な時間で所定単位数を算定する。

2～4　(略)

5　別に厚生労働大臣が定める基準を満たさない場合は、高齢者虐待防止措置未実施減算として、所定単位数の100分の1に相当する単位数を所定単位数から減算する。

6　別に厚生労働大臣が定める基準を満たさない場合は、業務継続計画未策定減算として、所定単位数の100 分の1に相当する単位数を所定単位数から減算する。

7　身体介護が中心である指定訪問介護を行った後に引き続き所要時間20分以上の生活援助が中心である指定訪問介護を行った場合(イ(1)の所定単位数を算定する場合を除く)は、イの所定単位数にかかわらず、イの所定単位数に当該生活援助が中心である指定訪問介護の所要時間が20分から計算して25分を増すごとに65単位(195単位を限度とする)を加算した単位数を算定する。

8・9　(略)

10　別に厚生労働大臣が定める基準に適合しているものとして、電子情報処理組織を使用する方法により、都道府県知事に対し、老健局長が定める様式による届出を行った指定訪問介護事業所が、利用者に対し、指定訪問介護を行った場合は、当該基準に掲げる区分に従い、1回につき次に掲げる単位数を所定単位数に加算する。ただし、注13から注15までのいずれかを算定している場合は、特定事業所加算 (V)は算定しない。また、特定事業所加算(V)とその他の加算を同時に算定する場合を除き、次に掲げるいずれかの加算を算定している場合においては、次に掲げるその他の加算は算定しない。

(1)～(3)　　(略)

(4) 特定事業所加算(IV)　所定単位数の100分の3に相当する単位数

(5)　　(略)

11　　(略)

12　指定訪問介護事業所の所在する建物と同一の敷地内若しくは隣接する敷地内の建物若しくは指定訪問介護事業所と 同一の建物(以下この注において「同一敷地内建物等」という)に居住する利用者(指定訪問介護事業所における1月当たりの利用者が同一敷地内建物等に50人以上居住する建物に居住する利用者を除く)又は指定訪問介護事業 所における１月当たりの利用者が同一の建物に20人以上居住する建物(同一敷地内建物等を除く)に居住する利用 者に対して、指定訪問介護を行った場合は、１回につき所定単位数の100分の90に相当する単位数を算定し、指定訪問介護事業所における１月当たりの利用者が同一敷地内建物等に50人以上居住する建物に居住する利用者に対して、指定訪問介護を行った場合は、１回につき所定単位数の100分の85に相当する単位数を算定する。ただし、別に厚生労働大臣が定める基準に該当する指定訪問介護事業所が、同一敷地内建物等に居住する利用者(指定訪問介護事業所における1月当たりの利用者が同一敷地内建物等に50人以上居住する建物に居住する利用者を除く)に対して、指定訪問介護を行った場合は、1回につき所定単位数の100分の88に相当する単位数を算定する。

13　別に厚生労働大臣が定める地域に所在し、かつ、電子情報処理組織を使用する方法により、都道府県知事に対し、老健局長が定める様式による届出を行った指定訪問介護事業所(その一部として使用される事務所が当該地域に所在しない場合は、当該事務所を除く)又はその一部として使用される事務所の訪問介護員等が指定訪問介護を行った場合は、特別地域訪問介護加算として、

1回につき所定単位数の100分の15に相当する単位数を所定単位数に加算する。ただし、注10(5)を算定している場合は、算定しない。

14　別に厚生労働大臣が定める地域に所在し、かつ、別に厚生労働大臣が定める施設基準に適合するものとして、電子情報処理組織を使用する方法により、都道府県知事に対し、老健局長が定める様式による届出を行った指定訪問介護事業所(その一部として使用される事務所が当該地域に所在しない場合は、当該事務所を除く)又はその一部として使用される事務所の訪問介護員等が指定訪問介護を行った場合は、1回につき所定単位数の100分の10に相当する単位数を所定単位数に加算する。ただし、注10(5)を算定している場合は、算定しない。

15　指定訪問介護事業所の訪問介護員等が、別に厚生労働大臣が定める地域に居住している利用者に対して、通常の事業の実施地域(指定居宅サービス基準第29条第5号に規定する通常の事業の実施地域をいう)を越えて、指定訪問介護を行った場合は、1回につき所定単位数の100分の5に相当する単位数を所定単位数に加算する。ただし、注10 (5)を算定している場合は、算定しない。

16・17　　(略)

ニ・ホ　　(略)

ヘ　口腔連携強化加算　　50単位

注　別に厚生労働大臣が定める基準に適合しているものとして、電子情報処理組織を使用する方法により、都道府県知事に対し、老健局長が定める様式による届出を行った指定訪問介護事業所の従業者が、口腔の健康状態の評価を実施した場合において、利用者の同意を得て、歯科医療機関及び介護支援専門員に対し、当該評価の結果の情報提供を行ったときは、口腔連携強化加算として、1月に1回に限り所定単位数を加算する。

ト　(略)

チ　介護職員等処遇改善加算

注　別に厚生労働大臣が定める基準に適合している介護職員の賃金の改善等を実施しているものとして、電子情報処理組織を使用する方法により、都道府県知事に対し、老健局長が定める様式による届出を行った指定訪問介護事業所が、利用者に対し、指定訪問介護を行った場合は、当該基準に掲げる区分に従い、次に掲げる単位数を所定単位数に加算する。ただし、次に掲げるいずれかの加算を算定している場合においては、次に掲げるその他の加算は算定しない。

(1) 介護職員等処遇改善加算（I）　　イからトまでにより算定した単位数の1000分の245に相当する単位数

(2) 介護職員等処遇改善加算（II）　　イからトまでにより算定した単位数の1000分の224に相当する単位数

(3) 介護職員等処遇改善加算（III）　　イからトまでにより算定した単位数の1000分の182に相当する単位数

(4) 介護職員等処遇改善加算（IV）　　イからトまでにより算定した単位数の1000分の145に相当する単位数

2　　(略)

2　訪問入浴介護費

イ　訪問入浴介護費　**1,266単位**

注1　　(略)

2　別に厚生労働大臣が定める基準を満たさない場合は、高齢者虐待防止措置未実施減算として、所定単位数の100分の1に相当する単位数を所定単位数から減算する。

3　別に厚生労働大臣が定める基準を満たさない場合は、業務継続計画未策定減算として、所定単位数の100分の1に相当する単位数を所定単位数から減算する。

4～10　　(略)

ロ・ハ　　(略)

ニ　看取り連携体制加算　64単位

注　別に厚生労働大臣が定める施設基準に適合しているものとして、電子情報処理組織を使用する方法により、都道府県知事に対し、老健局長が定める様式による届出を行った指定訪問入浴介護事業所において、別に厚生労働大臣が定める基準に適合する利用者について看取り期におけるサービス提供を行った場合は、看取り連携体制加算として、死亡日及び死亡日以前30日以下について１回につき所定単位数を加算する。

ホ　　(略)

へ　介護職員等処遇改善加算

注　別に厚生労働大臣が定める基準に適合している介護職員の賃金の改善等を実施しているものとして、電子情報処理組織を使用する方法により、都道府県知事に対し、老健局長が定める様式による届出を行った指定訪問入浴介護事業所が、利用者に対し、指定訪問入浴介護を行った場合は、当該基準に掲げる区分に従い、次に掲げる単位数を所定単位数に加算する。ただし、次に掲げるいずれかの加算を算定している場合においては、次に掲げるその他の加算は算定しない。

(1) 介護職員等処遇改善加算（I）　　イからホまでにより算定した単位数の1000分の100に相当する単位数

(2) 介護職員等処遇改善加算（II）　　イからホまでにより算定した単位数の1000分の94に相当する単位数

(3) 介護職員等処遇改善加算（III）　　イからホまでにより算定した単位数の1000分の79に相当する単位数

(4) 介護職員等処遇改善加算（IV）　　イからホまでにより算定した単位数の1000分の63に相当する単位数

2　　(略)

3　訪問看護費

イ　指定訪問看護ステーションの場合

(1)　所要時間20分未満の場合　　**314単位**

(2)　所要時間30分未満の場合　　**471単位**

(3)　所要時間30分以上１時間未満の場合　　**823単位**

(4)　所要時間１時間以上１時間30分未満の場合　　**1,128単位**

(5)　理学療法士、作業療法士又は言語聴覚士による訪問の場合（１回につき）　**294単位**

ロ　病院又は診療所の場合

(1)　所要時間20分未満の場合　**266単位**

(2)　所要時間30分未満の場合　**399単位**

(3)　所要時間30分以上１時間未満の場合　**574単位**

⑷　所要時間１時間以上１時間30分未満の場合　**844単位**

ハ　指定定期巡回・随時対応型訪問介護看護事業所と連携して指定訪問看護を行う場合　**2,961単位**

注　1・2 (略)

3 別に厚生労働大臣が定める基準を満たさない場合は、高齢者虐待防止措置未実施減算として、所定単位数の100分の1に相当する単位数を所定単位数から減算する。

4　別に厚生労働大臣が定める基準を満たさない場合は、業務継続計画未策定減算として、所定単位数の100分の1に相当する単位数を所定単位数から減算する。

5〜11　　(略)

12 別に厚生労働大臣が定める基準に適合しているものとして、電子情報処理組織を使用する方法により、都道府県知事に対し、老健局長が定める様式による届出を行った指定訪問看護ステーションが、利用者の同意を得て、利用者又はその家族等に対して当該基準により24時間連絡できる体制にあって、かつ、計画的に訪問することとなっていない緊急時訪問を必要に応じて行う体制にある場合又は指定訪問看護を担当する医療機関(指定居宅サービス基準第60条第1項第2号に規定する指定訪問看護を担当する医療機関をいう)が、利用者の同意を得て、計画的に訪問することとなっていない緊急時訪問を必要に応じて行う体制にある場合には、緊急時訪問看護加算として、次に掲げる区分に応じ、1月につき次に掲げる単位数を所定単位数に加算する。ただし、次に掲げるいずれかの加算を算定している場合においては、次に掲げるその他の加算は算定しない。

(1) 緊急時訪問看護加算(I)

(一) 指定訪問看護ステーションの場合　**600単位**

(二) 病院又は診療所の場合　**325単位**

(2) 緊急時訪問看護加算(II)

(一) 指定訪問看護ステーションの場合　**574単位**

(二) 病院又は診療所の場合　**315単位**

13　　(略)

14　別に厚生労働大臣が定める基準に適合しているものとして、電子情報処理組織を使用する方法により、都道府県知事に対し、老健局長が定める様式による届出を行った指定訪問看護事業所の緩和ケア、褥瘡ケア若しくは人工肛門ケア及び人工膀胱ケアに係る専門の研修を受けた看護師又は保健師助産師看護師法(昭和23年法律第203号)第37条 の2第2項第5号に規定する指定研修機関において行われる研修(以下「特定行為研修」という)を修了した看護師が、指定訪問看護の実施に関する計画的な管理を行った場合には、1月に1回に限り、専門管理加算として、次に掲げる区分に応じ、次に掲げる単位数のいずれかを所定単位数に加算する。

イ　緩和ケア、褥瘡ケア又は人工肛門ケア及び人工膀胱ケアに係る専門の研修を受けた看護師が計画的な管理を行った場合(悪性腫瘍の鎮痛療法若しくは化学療法を行っている利用者、真皮を越える褥瘡の状態にある利用者(重点的な褥瘡管理を行う必要が認められる利用者(在宅での療養を行っているものに限る)にあっては真皮までの状態の利用者)又は人工肛門若しくは人工膀胱を造設している者で管理が困難な利用者に行った場合に限る)　**250単位**

ロ　特定行為研修を修了した看護師が計画的な管理を行った場合(医科診療報酬点数表の区分番号C007の注3に規定する手順書加算を算定する利用者に対して行った場合に限る)　**250単位**

15　在宅で死亡した利用者に対して、別に厚生労働大臣が定める基準に適合しているものとして、電子情報処理組織を使用する方法により、都道府県知事に対し、老健局長が定める様式による届出を行った指定訪問看護事業所が、その死亡日及び死亡日前14日以内に2日(死亡日及び死亡日前14日以内に当該利用者(末期の悪性腫瘍その他別に厚生労 働大臣が定める状態にあるものに限る)に対して訪問看護を行っている場合にあっては、1日)以上ターミナルケアを行った場合(ターミナルケアを行った後、24時間以内に在宅以外で死亡した場合を含む)は、ターミナルケア加算として、当該者の死亡月につき2,500単位を所定単位数に加算する。

16　別に厚生労働大臣が定める基準に適合しているものとして、電子情報処理組織を使用する方法により、都道府県知事に対し、老健局長が定める様式による届出を行った指定訪問看護事業所の情報通信機器を用いた在宅での看取りに係る研修を受けた看護師が、医科診療報酬点数表の区分番号C001の注８(医科診療報酬点数表の区分番号C001―2 の注６の規定により準用する場合(指定特定施設入居者生活介護事業者の指定を受けている有料老人ホームその他これに準ずる施設が算定する場合を除く)を含む)に規定する死亡診断加算を算定する利用者(別に厚生労働大臣が定める地域に居住する利用者に限る)について、その主治の医師の指示に基づき、情報通信機器を用いて医師の死亡診断の補助を行った場合は、遠隔死亡診断補助加算として、当該利用者の死亡月につき150単位を所定単位数に加算する。

17〜19　(略)

20　イ(5)について、別に厚生労働大臣が定める施設基準に該当する指定訪問看護事業所については、1回につき8単位を所定単位数から減算する。

ニ　初回加算

(1) 初回加算(I)　**350単位**

(2) 初回加算(II)　**300単位**

注１　(1)について、新規に訪問看護計画書を作成した利用者に対して、病院、診療所又は介護保険施設から退院又は退所した日に指定訪問看護事業所の看護師が初回の指定訪問看護を行った場合は、1月につき所定単位数を加算する。ただし、(2)を算定している場合は、算定しない。

２　(2)について、指定訪問看護事業所において、新規に訪問看護計画書を作成した利用者に対して、初回の指定訪問看護を行った場合は、1月につき所定単位数を加算する。ただし、(1)を算定している場合は、算定しない。

ホ　退院時共同指導加算　600単位

注　病院、診療所、介護老人保健施設又は介護医療院に入院中又は入所中の者が退院又は退所するに当たり、指定訪問看護ステーションの看護師等(准看護師を除く)が、退院時共同指導(当該者又はその看護に当たっている者に対して、病院、診療所、介護老人保健施設又は介護医療院の主治の医師その他の従業者と共同し、在宅での療養上必要な指導を行い、その内容を提供することをいう)を行った後に、当該者の退院又は退所後に当該者に対する初回の指定訪問看護を行った場合に、退院時共同指導加算として、当該退院又は退所につき1回(特別な管理を必要とする利用者については、２回)に限り、所定単位数を加算する。ただし、ニの初回加算を算定する場合は、退院時共同指導加算は算定しない。

へ・ト　(略)

チ　口腔連携強化加算　**50単位**

注　別に厚生労働大臣が定める基準に適合しているものとして、電子情報処理組織を使用する方法により、都道府県知事に対し、老健局長が定める様式による届出を行った指定訪問看護事業所の従業者が、口腔の健康状態の評価を実施した場合において、利用者の同意を得て、歯科医療機関及び介護支援専門員に対し、当該評価の結果の情報提供を行ったときは、口腔連携強化加算として、1月に1回に限り所定単位数を加算する。

リ　(略)

4　訪問リハビリテーション費

イ　訪問リハビリテーション費（１回につき）　**308単位**

注１　通院が困難な利用者に対して、指定訪問リハビリテーション事業所の理学療法士、作業療法士又は言語聴覚士が、計画的な医学的管理を行っている当該事業所の医師の指示に基づき、指定訪問リハビリテーションを行った場合は、所定単位数を算定する。なお、指定訪問リハビリテーション事業所の理学療法士、作業療法士又は言語聴覚士が、当該指定訪問リハビリテーション事業所の医師が診療を行っていない利用者であって、別に厚生労働大臣が定める基準に適合するものに対して指定訪問リハビリテーションを行った場合は、注14の規定にかかわらず、所定単位数を算定する。

２　別に厚生労働大臣が定める基準を満たさない場合は、高齢者虐待防止措置未実施減算として、所定単位数の100分の1に相当する単位数を所定単位数から減算する。

３　別に厚生労働大臣が定める基準を満たさない場合は、業務継続計画未策定減算として、所定単位数の100分の1に相当する単位数を所定単位数から減算する。

４～８　(略)

９　別に厚生労働大臣が定める基準に適合しているものとして、電子情報処理組織を使用する方法により、都道府県知事に対し、老健局長が定める様式による届出を行った指定 訪問リハビリテーション事業所の医師、理学療法士、作業療法士、言語聴覚士その他の職種の者が共同し、継続的にリハビリテーションの質を管理した場合は、リハビリテーションマネジメント加算として、次に掲げる区分に応じ、1月につき次に掲げる単位数を所定単位数に加算する。ただし、次に掲げるいずれかの加算を算定している場合においては、次に掲げるその他の加算は算定しない。さらに、訪問リハビリテーション計画について、指定訪問リハビリテーション事業所の医師が利用者又はその家族に対して説明し、利用者の同意を得た場合、1月につき270単位を加算する。

(1) リハビリテーションマネジメント加算(イ)　**180単位**

(2) リハビリテーションマネジメント加算(ロ)　**213単位**

10　認知症であると医師が判断した者であって、リハビリテーションによって生活機能の改善が見込まれると判断されたものに対して、医師又は医師の指示を受けた理学療法士、作業療法士若しくは言語聴覚士が、その退院(所)日又は訪問開始日から起算して3月以内の期間に、リハビリテーションを集中的に行った場合に、認知症短期集中リハビリテーション実施加算として、1週に2日を限度として、1日につき240単位を所定単位数に加算する。ただし、注8を算定している場合は、算定しない。

11　別に厚生労働大臣が定める基準に適合しているものとして、電子情報処理組織を使用する方法により、都道府県知事に対し、老健局長が定める様式による届出を行った指定訪問リハビリテーション事業所の従業者が、口腔の健康状態の評価を実施した場合において、利用者の同意を得て、歯科医療機関及び介護支援専門員に対し、当該評価の結果の情報提供を行ったときは、口腔連携強化加算として、1月に1回に限り50単位を所定単位数に加算する。

12～14　(略)

ロ　退院時共同指導加算　**600単位**

注　病院又は診療所に入院中の者が退院するに当たり、指定訪問リハビリテーション事業所の医師又は理学療法士、作業療法士若しくは言語聴覚士が、退院前カンファレンスに参加し、退院時共同指導(病院又は診療所の主治の医師、理学療法士、作業療法士、言語聴覚士その他の従業者との間で当該者の状況等に関する情報を相互に共有した上で、当該者又はその家族に対して、在宅でのリハビリテーションに必要な指導を共同して行い、その内容を在宅での訪問リハビリテーション計画に反映させることをいう)を行った後に、当該者に対する初回の指定訪問リハビリテーションを行った場合に、当該退院につき1回に限り、所定単位数を加算する。

ハ・ニ　　(略)

5　居宅療養管理指導費

イ　医師が行う場合

⑴　居宅療養管理指導費(Ⅰ)

㈠　単一建物居住者１人に対して行う場合　**515単位**

㈡　単一建物居住者２人以上９人以下に対して行う場合　**487単位**

㈢　㈠及び㈡以外の場合　**446単位**

⑵　居宅療養管理指導費(Ⅱ)

㈠　単一建物居住者１人に対して行う場合　**299単位**

㈡　単一建物居住者２人以上９人以下に対して行う場合　**287単位**

㈢　㈠及び㈡以外の場合　**260単位**

注1〜5　(略)

ロ　歯科医師が行う場合

⑴　単一建物居住者１人に対して行う場合　**517単位**

⑵　単一建物居住者２人以上９人以下に対して行う場合　**487単位**

⑶　⑴及び⑵以外の場合　**441単位**

注1〜4　(略)

ハ　薬剤師が行う場合

⑴　病院又は診療所の薬剤師が行う場合

㈠　単一建物居住者１人に対して行う場合　**566単位**

㈡　単一建物居住者２人以上９人以下に対して行う場合　**417単位**

㈢　㈠及び㈡以外の場合　**380単位**

⑵　薬局の薬剤師が行う場合

㈠　単一建物居住者１人に対して行う場合　**518単位**

㈡　単一建物居住者２人以上９人以下に対して行う場合　**379単位**

㈢　㈠及び㈡以外の場合　**342単位**

注１　在宅の利用者であって通院が困難なものに対して、指定居宅療養管理指導事業所(指定居宅サービス基準第85条第1項に規定する指定居宅療養管理指導事業所をいう。以下この注及び注4から注8までにおいて同じ)の薬剤師が、医師又は歯科医師の指示(薬局の薬剤師にあっては、医師又は歯科医師の指示に基づき、当該薬剤師が策定した薬学的管理指導計画)に基づき、当該利用者を訪問し、薬学的な管理指導を行い、介護支援専門員に対する居宅サービス計画の策定等に必要な情報提供を行った場合に、単一建物居住者(当該利用者が居住する建物に居住する者のうち、当該指定居宅療養管理指導事業所の薬剤師が、同一月に指定居宅療養管理指導を行っているものをいう)の人数に従い、1月に2回(薬局の薬剤師にあっては、4回)を限度として、所定単位数を算定する。ただし、薬局の薬剤師にあっては、別に厚生労働大臣が定める者に対して、当該利用者を訪問し、薬学的な管理指導等を行った場合は、1週に2回、かつ、1月に8回を限度として、所定単位数を算定する。

２　在宅の利用者であって通院が困難なものに対して、薬局の薬剤師が情報通信機器を用いた服薬指導(指定居宅療養管理指導と同日に行う場合を除く)を行った場合は、注 1の規定にかかわらず、(2)(一)から(三)までと合わせて1月に4回に限り、46単位を算定する。ただし、別に厚生労働大臣が定める者に対して、薬局の薬剤師が情報通信機器を用いた服薬指導(指定居宅療養管理指導と同日に行う場合を除く)を行った場合は、注1の規定にかかわらず、(2)(一) から(三)までと合わせて、1週に2回、かつ、1月に8回を限度として、46単位を算定する。

３～６　　(略)

７　別に厚生労働大臣が定める施設基準に適合するものとして、電子情報処理組織を使用する方法により、都道府県知事に対し、老健局長が定める様式による届出を行った指定居宅療養管理指導事業所において、在宅で医療用麻薬持続注射療法を行っている利用者に対して、その投与及び保管の状況、副作用の有無等について当該利用者又はその家族等に確認し、必要な薬学的管理指導を行った場合は、医療用麻薬持続注射療法加算として、1回につき250単位を所定単位数に加算する。ただし、注2又は注3を算定している場合は、算定しない。

8　別に厚生労働大臣が定める施設基準に適合するものとして、電子情報処理組織を使用する方法により、都道府県知事に対し、老健局長が定める様式による届出を行った指定居宅療養管理指導事業所において、在宅中心静脈栄養法を行っている利用者に対して、その投与及び保管の状況、配合変化の有無について確認し、必要な薬学的管理指導を行った場合は、在宅中心静脈栄養法加算として、1回につき150単位を所定単位数に加算する。ただし、注2を算定している場合は、算定しない。

ニ　管理栄養士が行う場合

⑴　居宅療養管理指導費（Ⅰ）

㈠　単一建物居住者１人に対して行う場合　**545単位**

㈡　単一建物居住者２人以上９人以下に対して行う場合　**487単位**

㈢　⑴及び⑵以外の場合　**444単位**

⑵ 居宅療養管理指導費(Ⅱ)

㈠単一建物居住者１人に対して行う場合　**525単位**

㈡単一建物居住者２人以上９人以下に対して行う場合　**467単位**

㈢㈠及び㈡以外の場合　**424単位**

注１　在宅の利用者であって通院が困難なものに対して、⑴については次に掲げるいずれの基準にも適合する指定居宅療養管理指導事業所(指定居宅サービス基準第85条第1項第1号に規定する指定居宅療養管理指導事業所をいう。以下この注から注4までにおいて同じ)の管理栄養士が、⑵については次に掲げるいずれの基準にも適合する指定居宅療養管理指導事業所において当該指定居宅療養管理指導事業所以外の医療機関、介護保険施設(指定施設サービス等に要する費用の額の算定に関する基準(平成12年厚生省告示第21号)別表指定施設サービス等介護給付費単位数表(以下「指定施設サービス等介護給付費単位数表」という)の介護福祉施設サービスのチ、介護保健施設サービスのリ若しくは介護医療院サービスのヲに規定する厚生労働大臣が定める基準に定める管理栄養士の員数を超えて管理栄養士を置いているもの又は常勤の管理栄養士を1名以上配置しているものに限る)又は栄養士会が運営する栄養ケア・ステーションとの連携により確保した管理栄養士が、計画的な医学的管理を行っている医師の指示に基づき、当該利用者を訪問し、栄養管理に係る情報提供及び指

導又は助言を行った場合に、単一建物居住者(当該利用者が居住する建物に居住する者のうち、当該指定居宅療養管理指導事業所の管理栄養士が、同一月に指定居宅療養管理指導を行っているものをいう)の人数に従い、1月に2回を限度として、所定単位数を算定する。ただし、当該利用者の計画的な医学的管理を行っている医師が、当該利用者の急性増悪等により一時的に頻回の栄養管理を行う必要がある旨の特別の指示を行った場合に、当該利用者を訪問し、栄養管理に係る情報提供及び指導又は助言を行ったときは、その指示の日から30日間に限って、1月に2回を超えて、2回を限度として、所定単位数を算定する。

イ～ハ　(略)

２～４　(略)

ホ　歯科衛生士等が行う場合

⑴　単一建物居住者１人に対して行う場合　**362単位**

⑵　単一建物居住者２人以上９人以下に対して行う場合　**326単位**

⑶　⑴及び⑵以外の場合　**295単位**

注１　在宅の利用者であって通院が困難なものに対して、次に掲げるいずれの基準にも適合する指定居宅療養管理指導事業所(指定居宅サービス基準第85条第1項第1号に規定する指定居宅療養管理指導事業所をいう。以下この注から注4までにおいて同じ)の歯科衛生士、保健師又は看護職員(以下「歯科衛生士等」という)か、当該利用者に対して訪問歯科診療を行った歯科医師の指示に基つき、当該利用者を訪問し、実地指導を行った場合に、単一建物居住者(当該利用者が居住する建物に居住する者のうち、当該指定居宅療養管理指導事業所の歯科衛生士等が、同一月に指定居宅療養管理指導を行っているものをいう)の人数に従い、1月に4回(がん末期の利用者については、1月に6回)を限度として、所定単位数を算定する。

イ～ハ　(略)

２～４　(略)

6　通所介護費

イ　通常規模型通所介護費（月平均利用延人数300人超750人以内）

⑴　所要時間３時間以上 ４時間未満の場合

㈠　要介護１　　**370単位**
㈡　要介護２　　**423単位**
㈢　要介護３　　**479単位**
㈣　要介護４　　**533単位**
㈤　要介護５　　**588単位**

⑵　所要時間４時間以上５時間未満の場合

㈠　要介護１　　**388単位**
㈡　要介護２　　**444単位**
㈢　要介護３　　**502単位**
㈣　要介護４　　**560単位**
㈤　要介護５　　**617単位**

⑶　所要時間５時間以上６時間未満の場合

㈠　要介護１　　**570単位**
㈡　要介護２　　**673単位**
㈢　要介護３　　**777単位**
㈣　要介護４　　**880単位**
㈤　要介護５　　**984単位**

⑷　所要時間６時間以上７時間未満の場合

㈠　要介護１　　**584単位**
㈡　要介護２　　**689単位**
㈢　要介護３　　**796単位**
㈣　要介護４　　**901単位**
㈤　要介護５　　**1,008単位**

⑸　所要時間７時間以上８時間未満の場合

㈠　要介護１　　**658単位**
㈡　要介護２　　**777単位**
㈢　要介護３　　**900単位**
㈣　要介護４　　**1,023単位**
㈤　要介護５　　**1,148単位**

⑹　所要時間８時間以上９時間未満の場合

㈠　要介護１　　**669単位**
㈡　要介護２　　**791単位**
㈢　要介護３　　**915単位**
㈣　要介護４　**1,041単位**
㈤　要介護５　**1,168単位**

ロ　大規模型通所介護費(Ⅰ)

⑴　所要時間３時間以上 ４時間未満の場合

㈠　要介護１　　**358単位**
㈡　要介護２　　**409単位**
㈢　要介護３　　**462単位**
㈣　要介護４　　**513単位**
㈤　要介護５　　**568単位**

⑵　所要時間４時間以上５時間未満の場合

㈠　要介護１　　**376単位**
㈡　要介護２　　**430単位**
㈢　要介護３　　**486単位**
㈣　要介護４　　**541単位**
㈤　要介護５　　**597単位**

⑶　所要時間５時間以上 ６時間未満の場合

㈠　要介護１　　**544単位**
㈡　要介護２　　**643単位**
㈢　要介護３　　**743単位**
㈣　要介護４　　**840単位**
㈤　要介護５　　**940単位**

⑷　所要時間６時間以上７時間未満の場合

㈠　要介護１　　**564単位**
㈡　要介護２　　**667単位**
㈢　要介護３　　**770単位**
㈣　要介護４　　**871単位**
㈤　要介護５　　**974単位**

⑸　所要時間７時間以上８時間未満の場合

㈠　要介護１　**629単位**

㈡　要介護２　**744単位**

㈢　要介護３　**861単位**

㈣　要介護４　**980単位**

㈤　要介護５　**1,097単位**

⑹　所要時間８時間以上９時間未満の場合

㈠　要介護１　**647単位**

㈡　要介護２　**765単位**

㈢　要介護３　**885単位**

㈣　要介護４　**1,007単位**

㈤　要介護５　**1,127単位**

ハ　大規模型通所介護費(Ⅱ)

⑴　所要時間３時間以上４時間未満の場合

㈠　要介護１　**345単位**

㈡　要介護２　**395単位**

㈢　要介護３　**446単位**

㈣　要介護４　**495単位**

㈤　要介護５　**549単位**

⑵　所要時間４時間以上５時間未満の場合

㈠　要介護１　**362単位**

㈡　要介護２　**414単位**

㈢　要介護３　**468単位**

㈣　要介護４　**521単位**

㈤　要介護５　**575単位**

⑶　所要時間５時間以上６時間未満の場合

㈠　要介護１　**525単位**

㈡　要介護２　**620単位**

㈢　要介護３　**715単位**

㈣　要介護４　**812単位**

㈤　要介護５　　**907単位**

⑷　所要時間６時間以上７時間未満の場合

㈠　要介護１　　**543単位**

㈡　要介護２　　**641単位**

㈢　要介護３　　**740単位**

㈣　要介護４　　**839単位**

㈤　要介護５　　**939単位**

⑸　所要時間７時間以上 ８時間未満の場合

㈠　要介護１　　**607単位**

㈡　要介護２　　**716単位**

㈢　要介護３　　**830単位**

㈣　要介護４　　**946単位**

㈤　要介護５　**1,059単位**

⑹　所要時間８時間以上９時間未満の場合

㈠　要介護１　　**623単位**

㈡　要介護２　　**737単位**

㈢　要介護３　　**852単位**

㈣　要介護４　　**970単位**

㈤　要介護５　**1,086単位**

注１　　(略)

２　別に厚生労働大臣が定める基準を満たさない場合は、高齢者虐待防止措置未実施減算として、所定単位数の100分の1に相当する単位数を所定単位数から減算する。

３　別に厚生労働大臣が定める基準を満たさない場合は、業務継続計画未策定減算として、所定単位数の100分の1に相当する単位数を所定単位数から減算する。

４～７　　(略)

８　別に厚生労働大臣が定める基準に適合しているものとして、電子情報処理組織を使用する方法により、都道府県知事に対し、老健局長が定める様式による届出を行った指定通所介護事業所において、注7を算定している場合は、

生 活相談員配置等加算として、1日につき13単位を所定単位数に加算する。

9・10　(略)

11　別に厚生労働大臣が定める基準に適合しているものとして、電子情報処理組織を使用する方法により、都道府県知事に対し、老健局長が定める様式による届出を行った指定通所介護事業所が、中重度の要介護者を受け入れる体制を構築し、指定通所介護を行った場合は、中重度者ケア体制加算として、1日につき45単位を所定単位数に加算する。ただし、注7を算定している場合は、算定しない。

12　別に厚生労働大臣が定める基準に適合しているものとして、電子情報処理組織を使用する方法により、都道府県知事に対し、老健局長が定める様式による届出を行った指定通所介護事業所において、外部との連携により、利用者の 身体の状況等の評価を行い、かつ、個別機能訓練計画を作成した場合には、当該基準に掲げる区分に従い、(1)については、利用者の急性増悪等により当該個別機能訓練計画を見直した場合を除き3月に1回を限度として、1月につき 、(2)については1月につき、次に掲げる単位数を所定単位数に加算する。ただし、次に掲げるいずれかの加算を算定している場合においては、次に掲げるその他の加算は算定しない。また、注13を算定している場合、(1)は算定せず、 (2)は1月につき100単位を所定単位数に加算する。

(1)・(2)　(略)

13　別に厚生労働大臣が定める基準に適合しているものとして、電子情報処理組織を使用する方法により、都道府県知事に対し、老健局長が定める様式による届出を行った指定 通所介護の利用者に対して、機能訓練を行っている場合には、当該基準に掲げる区分に従い、(1)及び(2)については1 日につき次に掲げる単位数を、(3)については1月につき次 に掲げる単位数を所定単位数に加算する。ただし、個別機能訓練加算(I)イを算定している場合には、個別機能訓練加 算(I)ロは算定しない。

(1)　(略)

(2) 個別機能訓練加算(I)ロ　**76単位**

(3)　(略)

14　(略)

15　別に厚生労働大臣が定める基準に適合しているものとして、電子情報処理組織を使用する方法により、都道府県知事に対し、老健局長が定める様式による届出を行った指定通所介護事業所において、別に厚生労働大臣かが定める利用者に対して指定通所介護を行った場合は、認知症加算として、1日につき60単位を所定単位数に加算する。ただし、 注7を算定している場合は、算定しない。

16　　(略)

17　次に掲げるいずれの基準にも適合しているものとして、電子情報処理組織を使用する方法により、都道府県知事に対し、老健局長が定める様式による届出を行った指定通所介護事業所において、利用者に対して、管理栄養士が介護職員等と共同して栄養アセスメント(利用者ごとの低栄養 状態のリスク及び解決すべき課題を把握することをいう。 以下この注において同じ)を行った場合は、栄養アセスメント加算として、1月につき50単位を所定単位数に加算する。ただし、当該利用者が栄養改善加算の算定に係る栄養改善サービスを受けている間及び当該栄養改善サービスが終了した日の属する月は、算定しない。

(1)　　(略)

(2)　利用者ごとに、管理栄養士、看護職員、介護職員、生活相談員その他の職種の者(注18において「管理栄養士等」という)が共同して栄養アセスメントを実施し、当該利用者又はその家族に対してその結果を説明し、相談等に必要に応じ対応すること。

(3)・(4)　　(略)

18～24　　(略)

ニ　　(略)

ホ　介護職員等処遇改善加算

注　別に厚生労働大臣が定める基準に適合している介護職員の賃金の改善等を実施しているものとして、電子情報処理組織を使用する方法により、都道府県知事に対し、老健局長が定める様式による届出を行った指定通所介護事業所が、利用者に対し、指定通所介護を行った場合は、当該基準に掲げる区分に従い、次に掲げる単位数を所定単位数に加算する。ただし、次に掲げるいずれかの加算を算定している場合においては、次に掲げるその他の加算は算定しない。

(1)～(4)　　(略)

2　　(略)

7　通所リハビリテーション費

イ　通常規模型リハビリテーション費

⑴　所要時間１時間以上２時間未満の場合

㈠　要介護１　**369単位**

㈡　要介護２　**398単位**

㈢　要介護３　**429単位**

㈣　要介護４　**458単位**

㈤　要介護５　**491単位**

⑵　所要時間２時間以上３時間未満の場合

㈠　要介護１　**383単位**

㈡　要介護２　**439単位**

㈢　要介護３　**498単位**

㈣　要介護４　**555単位**

㈤　要介護５　**612単位**

⑶　所要時間３時間以上４時間未満の場合

㈠　要介護１　**486単位**

㈡　要介護２　**565単位**

㈢　要介護３　**643単位**

㈣　要介護４　**743単位**

㈤　要介護５　**842単位**

⑷　所要時間４時間以上 ５時間未満の場合

㈠　要介護１　**553単位**

㈡　要介護２　**642単位**

㈢　要介護３　**730単位**

㈣　要介護４　**844単位**

㈤　要介護５　**957単位**

⑸　所要時間５時間以上６時間未満の場合

㈠　要介護１　　**622単位**
㈡　要介護２　　**738単位**
㈢　要介護３　　**852単位**
㈣　要介護４　　**987単位**
㈤　要介護５　**1,120単位**

⑹　所要時間６時間以上７時間未満の場合

㈠　要介護１　　**715単位**
㈡　要介護２　　**850単位**
㈢　要介護３　　**981単位**
㈣　要介護４　**1,137単位**
㈤　要介護５　**1,290単位**

⑺　所要時間７時間以上８時間未満の場合

㈠　要介護１　　**762単位**
㈡　要介護２　　**903単位**
㈢　要介護３　**1,046単位**
㈣　要介護４　**1,215単位**
㈤　要介護５　**1,379単位**

ロ　大規模型通所リハビリテーション費(Ⅰ)

⑴　所要時間１時間以上２時間未満の場合

㈠　要介護１　　**357単位**
㈡　要介護２　　**388単位**
㈢　要介護３　　**415単位**
㈣　要介護４　　**445単位**
㈤　要介護５　　**475単位**

⑵　所要時間２時間以上３時間未満の場合

㈠　要介護１　　**372単位**
㈡　要介護２　　**427単位**
㈢　要介護３　　**482単位**
㈣　要介護４　　**536単位**
㈤　要介護５　　**591単位**

⑶　所要時間３時間以上４時間未満の場合

㈠　要介護１　**470単位**

㈡　要介護２　**547単位**

㈢　要介護３　**623単位**

㈣　要介護４　**719単位**

㈤　要介護５　**816単位**

⑷　所要時間４時間以上　５時間未満の場合

㈠　要介護１　**525単位**

㈡　要介護２　**611単位**

㈢　要介護３　**696単位**

㈣　要介護４　**805単位**

㈤　要介護５　**912単位**

⑸　所要時間５時間以上６時間未満の場合

㈠　要介護１　**584単位**

㈡　要介護２　**692単位**

㈢　要介護３　**800単位**

㈣　要介護４　**929単位**

㈤　要介護５　**1,053単位**

⑹　所要時間６時間以上　７時間未満の場合

㈠　要介護１　**675単位**

㈡　要介護２　**802単位**

㈢　要介護３　**926単位**

㈣　要介護４　**1,077単位**

㈤　要介護５　**1,224単位**

⑺　所要時間７時間以上８時間未満の場合

㈠　要介護１　**714単位**

㈡　要介護２　**847単位**

㈢　要介護３　**983単位**

㈣　要介護４　**1,140単位**

㈤　要介護５　**1,300単位**

注１　　(略)

２　別に厚生労働大臣が定める基準を満たさない場合は、高齢者虐待防止措置未実施減算として、所定単位数の100分の1に相当する単位数を所定単位数から減算する。

３　別に厚生労働大臣が定める基準を満たさない場合は、業務継続計画未策定減算として、所定単位数の100分の1に相当する単位数を所定単位数から減算する。

４　イ及びロについて、感染症又は災害(厚生労働大臣が認めるものに限る)の発生を理由とする利用者数の減少が生じ、当該月の利用者数の実績が当該月の前年度における月平均の利用者数よりも100分の5以上減少している場合に、電子情報処理組織を使用する方法により、都道府県知事に対し、老健局長が定める様式による届出を行った指定通所リハビリテーション事業所において、指定通所リハビリテーションを行った場合には、利用者数が減少した月の翌々月から3月以内に限り、1回につき所定単位数の100分の3に相当する単位数を所定単位数に加算する。ただし、利用者数の減少に対応するための経営改善に時間を要することその他の特別の事情があると認められる場合は、当該加算の期間が終了した月の翌月から3月以内に限り、引き続き加算することができる。

５　イ(1)及びロ(1)について、指定居宅サービス基準第111条に規定する配置基準を超えて、理学療法士、作業療法士又は言語聴覚士を専従かつ常勤で2名以上配置している事業所については、1日につき30単位を所定単位数に加算する。

６～９　　(略)

10　別に厚生労働大臣が定める基準に適合しているものとして、電子情報処理組織を使用する方法により、都道府県知事に対し、老健局長が定める様式による届出を行った指定通所リハビリテーション事業所の医師、理学療法士、作業療法士、言語聴覚士その他の職種の者が共同し、継続的にリハビリテーションの質を管理した場合は、リハビリテーションマネジメント加算として、次に掲げる区分に応じ、1月につき次に掲げる単位数を所定単位数に加算する。さらに、通所リハビリテーション計画について、指定通所リハビリテーション事業所の医師が利用者又はその家族に対して説明し、利用者の同意を得た場合、1月につき270単位を加算する。ただし、次に掲げるいずれかの加算を算定している場合においては、次に掲げるその他の加算は算定せず、注15又は注18(1)若しくは(2)(二)を算定している場合は、リハビリテーションマネジメント加算(ハ)は算定しない。

イ　リハビリテーションマネジメント加算(イ)

(1)・(2)　(略)

ロ　リハビリテーションマネジメント加算(ロ)

(1)・(2)　(略)

ハ　リハビリテーションマネジメント加算(ハ)

(1) 通所リハビリテーション計画を利用者又はその家族に説明し、利用者の同意を得た日の属する月から起算して6月以内の期間のリハビリテーションの質を管理した場合　**793単位**

(2) 当該日の属する月から起算して6月を超えた期間のリハビリテーションの質を管理した場合　**473単位**

11　医師又は医師の指示を受けた理学療法士、作業療法士若しくは言語聴覚士が、利用者に対して、その退院(所)日又は認定日から起算して3月以内の期間に、個別リハビリテーションを集中的に行った場合、短期集中個別リハビリテーション実施加算として、1日につき110単位を所定単位数に加算する。ただし、注12又は注13を算定している場合は、算定しない。

12　別に厚生労働大臣が定める基準に適合し、かつ、別に厚生労働大臣が定める施設基準に適合しているものとして、電子情報処理組織を使用する方法により、都道府県知事に対し、老健局長が定める様式による届出を行った指定通所リハビリテーション事業所において、認知症であると医師が判断した者であって、リハビリテーションによって生活機能の改善が見込まれると判断されたものに対して、医師又は医師の指示を受けた理学療法士、作業療法士若しくは言語聴覚士が、イについてはその退院(所)日又は通所開始日から起算して3月以内の期間に、ロについてはその退院(所)日又は通所開始日の属する月から起算して3月以内の期間にリハビリテーションを集中的に行った場合は、認知症短期集中リハビリテーション実施加算として、次に掲げる区分に応じ、イについては1日につき、ロについては1月につき、次に掲げる単位数を所定単位数に加算する。ただし、次に掲げるいずれかの加算を算定している場合においては、次に掲げるその他の加算は算定せず、短期集中個別リハビリテーション実施加算又は注13を算定している場合においては、算定しない。

イ・ロ　(略)

13　別に厚生労働大臣が定める基準に適合し、かつ、別に厚生労働大臣が定める施設基準に適合しているものとして、電子情報処理組織を使用する方法により、都道府県知事に対し、老健局長が定める様式による届出を行った指定通所リハビリテーション事業所が、生活行為の内容の充実を図るための目標及び当該目標を踏まえたリハビリテーションの実施内容等をリハビリテーション実施計画にあらかじめ定めて、利用者に対して、リハビリテーションを計画的に行い、当該利用者の有する能力の向上を支援した場合は、生活行為向上リハビリテーション実施加算として、リハビリテーション実施計画に基づく指定通所リハビリテーションの利用を開始した日の属する月から起算して6月以内の期間に限り、1月につき1,250単位を所定単位数に加算する。ただし、短期集中個別リハビリテーション実施加算又は認知症短期集中リハビリテーション実施加算を算定している場合においては、算定しない。また、短期集中個別リハビリテーション実施加算又は認知症短期集中リハビリテーション実施加算を算定していた場合においては、利用者の急性増悪等によりこの加算を算定する必要性についてリハビリテーション会議(指定居宅サービス基準第80条第7号に規定するリハビリテーション会議をいう)により合意した場合を除き、この加算は算定しない。

14　(略)

15　次に掲げるいずれの基準にも適合しているものとして、電子情報処理組織を使用する方法により、都道府県知事に対し、老健局長が定める様式による届出を行った指定通所リハビリテーション事業所において、利用者に対して、管理栄養士が介護職員等と共同して栄養アセスメント(利用者ごとの低栄養状態のリスク及び解決すべき課題を把握することをいう。以下この注において同じ)を行った場合は、栄養アセスメント加算として、1月につき50単位を所定単位数に加算する。ただし、当該利用者が栄養改善加算の算定に係る栄養改善サービスを受けている間及び当該栄養改善サービスが終了した日の属する月並びにリハビリテーションマネジメント加算(ハ)を算定している場合は、算定しない。

(1)～(4)　(略)

16・17　(略)

18　別に厚生労働大臣が定める基準に適合しているものとして、電子情報処理組織を使用する方法により、都道府県知事に対し、老健局長が定める様式による届出を行い、かつ、口腔機能が低下している利用者又はそのおそれのある利用者に対して、当該利用者の口腔機能の向上を目的として、個別的に実施される口腔清掃の指導若しくは実施又は摂食・嚥下機能に関する訓練の指導若しくは実施であって、利用者の心身の状態の維持又は向上に資すると認められるもの(以下この注において「口腔機能向上サービス」という)を行った場合は、口腔機能向上加算として、当該基準に掲げる区分に従い、3月以内の期間に限り1月に2回を限度として1回につき次に掲げる単位数を所定単位数に加算する。ただし、次に掲げるいずれかの加算を算定している場合においては、次に掲げるその他の加算は算定せず、リハビリテーションマネジメント加算(ハ)を算定している場合は、口腔機能向上加算(I)及び(II)ロは算定しない。また、口腔機能向上サービスの開始から3月ごとの利用者の口腔機能の評価の結果、口腔機能が向上せず、口腔機能向上サービスを引き続き行うことが必要と認められる利用者については、引き続き算定することができる。

(1)　(略)

(2) 口腔機能向上加算(II)

(一) 口腔機能向上加算(II)イ　**155単位**

(二) 口腔機能向上加算(II)ロ　**160単位**

19　(略)

20　別に厚生労働大臣が定める状態にある利用者(要介護状態区分が要介護3、要介護4又は要介護5である者に限る)に対して、計画的な医学的管理のもと、指定通所リハビリテーションを行った場合に、重度療養管理加算として、1日につき100単位を所定単位数に加算する。ただし、イ(1)及びロ(1)を算定している場合は、算定しない。

21～24　(略)

ハ　退院時共同指導加算　　**600単位**

注　病院又は診療所に入院中の者が退院するに当たり、指定通所リハビリテーション事業所の医師又は理学療法士、作業療法士若しくは言語聴覚士が、退院前カンファレンスに参加し、退院時共同指導(病院又は診療所の主治の医師、理学療法士、作業療法士、言語聴覚士その他の従業者との間で当該者の状況等に関する情報を相互に共有した上で、当該者又はその家族に対して、在宅でのリハビリテーションに必要な指導を共同して行い、その内容を在宅での通所リハビリテーション計画に反映させることをいう)を行った後に、当該者に対する初回の指定通所リハビリテーションを行った場合に、当該退院につき１回に限り、所定単位数を加算する。

ニ・ホ　　(略)

ヘ　介護職員等処遇改善加算

注１　別に厚生労働大臣が定める基準に適合する介護職員等の賃金の改善等を実施しているものとして、電子情報処理組織を使用する方法により、都道府県知事に対し、老健局長が定める様式による届出を行った指定通所リハビリテーション事業所が、利用者に対し、指定通所リハビリテーションを行った場合は、当該基準に掲げる区分に従い、次に掲げる単位数を所定単位数に加算する。ただし、次に掲げるいずれかの加算を算定している場合においては、次に掲げるその他の加算は算定しない。

(1) 介護職員等処遇改善加算(I)　　イからホまでにより算定した単位数の1000分の86に相当する単位数

(2) 介護職員等処遇改善加算(II)　　イからホまでにより算定した単位数の1000分の83に相当する単位数

(3) 介護職員等処遇改善加算(III)　　イからホまでにより算定した単位数の1000分の66に相当する単位数

(4) 介護職員等処遇改善加算(IV)　　イからホまでにより算定した単位数の1000分の53に相当する単位数

２　　(略)

8　短期入所生活介護費（1日につき）

イ　短期入所生活介護費

⑴ 単独型短期入所生活介護費

㈠ 単独型短期入所生活介護費(Ⅰ)〈従来型個室〉

a 要介護１ **645単位**

b 要介護２ **715単位**

c 要介護３ **787単位**

d 要介護４ **856単位**

e 要介護５ **926単位**

㈡ 単独型短期入所生活介護費(Ⅱ)〈多床室〉

a 要介護１ **645単位**

b 要介護２ **715単位**

c 要介護３ **787単位**

d 要介護４ **856単位**

e 要介護５ **926単位**

⑵ 併設型短期入所生活介護費

㈠ 併設型短期入所生活介護費(Ⅰ)〈従来型個室〉

a 要介護１ **603単位**

b 要介護２ **672単位**

c 要介護３ **745単位**

d 要介護４ **815単位**

e 要介護５ **884単位**

㈡ 併設型短期入所生活介護費(Ⅱ)〈多床室〉

a 要介護１ **603単位**

b 要介護２ **672単位**

c 要介護３ **745単位**

d 要介護４ **815単位**

e 要介護５ **884単位**

ロ ユニット型短期入所生活介護費

⑴ 単独型ユニット型短期入所生活介護費

㈠ 単独型ユニット型短期入所生活介護費〈ユニット型個室〉

a 要介護１ **746単位**

b　要介護２　**815単位**

c　要介護３　**891単位**

d　要介護４　**959単位**

e　要介護５　**1,028単位**

㈡　経過的単独型ユニット型短期入所生活介護費〈ユニット型個室的多床室〉

a　要介護１　**746単位**

b　要介護２　**815単位**

c　要介護３　**891単位**

d　要介護４　**959単位**

e　要介護５　**1,028単位**

⑵　併設型ユニット型短期入所生活介護費

㈠　併設型ユニット型短期入所生活介護費〈ユニット型個室〉

a　要介護１　**704単位**

b　要介護２　**772単位**

c　要介護３　**847単位**

d　要介護４　**918単位**

e　要介護５　**987単位**

㈡　経過的併設型ユニット型短期入所生活介護費〈ユニット型個室的多床室〉

a　要介護１　**704単位**

b　要介護２　**772単位**

c　要介護３　**847単位**

d　要介護４　**918単位**

e　要介護５　**987単位**

注１・２　(略)

３　別に厚生労働大臣が定める基準を満たさない場合は、身体拘束廃止未実施減算として、所定単位数の100分の1に相当する単位数を所定単位数から減算する。

４　別に厚生労働大臣が定める基準を満たさない場合は、高齢者虐待防止措置未実施減算として、所定単位数の100分の1に相当する単位数を所定単位数から減算する。

5　別に厚生労働大臣が定める基準を満たさない場合は、業務継続計画未策定減算として、所定単位数の100分の1に相当する単位数を所定単位数から減算する。

6　　(略)

7　イ(2)について、別に厚生労働大臣が定める基準に適合しているものとして、電子情報処理組織を使用する方法により、都道府県知事に対し、老健局長が定める様式による届出を行った指定短期入所生活介護事業所において、注6を算定している場合は、生活相談員配置等加算として、1日につき13単位を所定単位数に加算する。

8　別に厚生労働大臣が定める基準に適合しているものとして、電子情報処理組織を使用する方法により、都道府県知事に対し、老健局長が定める様式による届出を行った指定短期入所生活介護事業所において、外部との連携により、利用者の身体の状況等の評価を行い、かつ、個別機能訓練計画を作成した場合には、当該基準に掲げる区分に従い、イについては、利用者の急性増悪等により当該個別機能訓練計画を見直した場合を除き3月に1回を限度として、1月につき、ロについては1月につき、次に掲げる単位数を所定単位数に加算する。ただし、次に掲げるいずれかの加算を算定している場合においては、次に掲げるその他の加算は算定しない。また、注10を算定している場合、イは算定せず、ロは1月につき100単位を所定単位数に加算する。

イ・ロ　　(略)

9　専ら機能訓練指導員の職務に従事する常勤の理学療法士、作業療法士、言語聴覚士、看護職員、柔道整復師、あん摩マッサージ指圧師、はり師又はきゅう師(はり師及びきゅう師については、理学療法士、作業療法士、言語聴覚士、看護職員、柔道整復師又はあん摩マッサージ指圧師の資格を有する機能訓練指導員を配置した事業所で6月以上機能訓練指導に従事した経験を有する者に限る)(以下この注において「理学療法士等」という)を1名以上配置しているもの(利用者の数(指定居宅サービス基準第121条第2項の規定の適用を受ける指定短期入所生活介護事業所又は同条第4項に規定する併設事業所である指定短期入所生活介護事業所にあっては、利用者の数及び同条第2項の規定の適用を受ける特別養護老人ホーム(老人福祉法(昭和38年法律第133号)第20条の5に規定する特別養護老人ホームをいう)又は指定居宅サービス基準第124条第4項に規定する併設本体施設の入所者又は入院患者の合計数。以下この注において同じ)が100を超える指定短期入所生活介護事業所にあっては、専ら機能訓練指導員の職務に従事する常勤の理学療法士等を1名以上配置し、かつ、理学療法士等である従業者を機能訓練指導員として常勤換算方法(指定居宅サービス基準第2条第8号に規定する常勤換算方法をいう。特定施設入居者生活介護費の注10において同じ)で利用者の数を100で除した数以上配置しているもの)として、電子情報処理組織を使用する方法により、都道府県知事に対し、老健局長が定める様式による届出を行った指定短期入所生活介護事業所については、1日につき12単位を所定単位数に加算する。

10・11　(略)

12　別に厚生労働大臣が定める基準に適合しているものとして、電子情報処理組織を使用する方法により、都道府県知事に対し、老健局長が定める様式による届出を行った指定短期入所生活介護事業所において、別に厚生労働大臣が定める状態にあるものに対して指定短期入所生活介護を行った場合は、医療連携強化加算として、1日につき58単位を所定単位数に加算する。ただし、ホの在宅中重度者受入加算を算定している場合は、算定しない。

13　別に厚生労働大臣が定める基準に適合しているものとして、電子情報処理組織を使用する方法により、都道府県知事に対し、老健局長が定める様式による届出を行った指定短期入所生活介護事業所において、別に厚生労働大臣が定める基準に適合する利用者について看取り期におけるサービス提供を行った場合は、看取り連携体制加算として、死亡日及び死亡日以前30日以下について、7日を限度として、1日につき64単位を加算する。

14　別に厚生労働大臣が定める夜勤を行う職員の勤務条件に関する基準を満たすものとして、電子情報処理組織を使用する方法により、都道府県知事に対し、老健局長が定める様式による届出を行った指定短期入所生活介護事業所については、当該基準に掲げる区分に従い、1日につき次に掲げる単位数を所定単位数に加算する。ただし、次に掲げるいずれかの加算を算定している場合においては、次に掲げるその他の加算は算定しない。また、注6を算定している場合は、算定しない。
(1)～(4)　　(略)
15　(略)
16　別に厚生労働大臣が定める基準に適合しているものとして、電子情報処理組織を使用する方法により、都道府県知事に対し、老健局長が定める様式による届出を行った指定短期入所生活介護事業所において、若年性認知症利用者に対して指定短期入所生活介護を行った場合は、若年性認知症利用者受入加算として1日につき120単位を所定単位数に加算する。ただし、注15を算定している場合は、算定しない。
17・18　(略)
19　別に厚生労働大臣が定める者に対し、居宅サービス計画において計画的に行うこととなっていない指定短期入所生活介護を緊急に行った場合は、緊急短期入所受入加算として、当該指定短期入所生活介護を行った日から起算して7日(利用者の日常生活上の世話を行う家族の疾病等やむを得ない事情がある場合は、14日)を限度として、1日につき90単位を所定単位数に加算する。ただし、注15を算定している場合は、算定しない。
20　指定居宅サービス基準第121条第2項の規定の適用を受ける指定短期入所生活介護事業所に係る注9の規定による 届出については、指定施設サービス等介護給付費単位数表の規定により、注9の規定による届出に相当する介護福祉 施設サービスに係る届出があったときは、注9の規定による届出があったものとみなす。
21　(略)
22　別に厚生労働大臣が定める利用者に対して指定短期入所生活介護を行った場合は、1日につき30単位を所定単位数から減算する。ただし、注23を算定している場合は、算定しない。
23　別に厚生労働大臣が定める利用者に対して指定短期入所生活介護を行った場合は、注1の規定にかかわらず、次に掲げる場合の区分に従い、それぞれ次に掲げる所定単位数を算定する。
(1) 単独型短期入所生活介護費(I)又は単独型短期入所生活介護費(II)を算定すべ

き指定短期入所生活介護を行った場合、利用者の要介護状態区分に応じて、それぞれ次に掲げる単位数

(一) 要介護1　**589単位**

(二) 要介護2　**659単位**

(三) 要介護3　**732単位**

(四) 要介護4　**802単位**

(五) 要介護5　**871単位**

(2) 併設型短期入所生活介護費(I)又は併設型短期入所生活介護費(II)を算定すべき指定短期入所生活介護を行った場合、利用者の要介護状態区分に応じて、それぞれ次に掲げる単位数

(一) 要介護1　**573単位**

(二) 要介護2　**642単位**

(三) 要介護3　**715単位**

(四) 要介護4　**785単位**

(五) 要介護5　**854単位**

(3) 単独型ユニット型短期入所生活介護費又は経過的単独型ユニット型短期入所生活介護費を算定すべき指定短期入所生活介護を行った場合、利用者の要介護状態区分に応じて、それぞれ次に掲げる単位数

(一) 要介護1　**670単位**

(二) 要介護2　**740単位**

(三) 要介護3　**815単位**

(四) 要介護4　**886単位**

(五) 要介護5　**955単位**

(4) 併設型ユニット型短期入所生活介護費又は経過的併設型ユニット型短期入所生活介護費を算定すべき指定短期入所生活介護を行った場合、利用者の要介護状態区分に応じて、それぞれ次に掲げる単位数

(一) 要介護1　**670単位**

(二) 要介護2　**740単位**

(三) 要介護3　**815単位**

(四) 要介護4　**886単位**

(五) 要介護5　**955単位**

ハ　口腔連携強化加算　**50単位**

注　別に厚生労働大臣が定める基準に適合しているものとして、電子情報処理組織を使用する方法により、都道府県知事に対し、老健局長が定める様式による届出を行った指定短期入所生活介護事業所の従業者が、口腔の健康状態の評価を実施した場合において、利用者の同意を得て、歯科医療機関及び介護支援専門員に対し、当該評価の結果の情報提供を行ったときは、口腔連携強化加算として、１月に１回に限り所定単位数を加算する。

ニ～へ　(略)

ト　生産性向上推進体制加算

注　別に厚生労働大臣が定める基準に適合しているものとして、電子情報処理組織を使用する方法により、都道府県知事に対し、老健局長が定める様式による届出を行った指定短期入所生活介護事業所において、利用者に対して指定短期入所生活介護を行った場合は、当該基準に掲げる区分に従い、１月につき次に掲げる所定単位数を加算する。ただし、次に掲げるいずれかの加算を算定している場合においては、次に掲げるその他の加算は算定しない。

(1) 生産性向上推進体制加算(I)　**100単位**

(2) 生産性向上推進体制加算(II)　**10単位**

チ　(略)

リ　介護職員等処遇改善加算

注　別に厚生労働大臣が定める基準に適合している介護職員の賃金の改善等を実施しているものとして、電子情報処理組織を使用する方法により、都道府県知事に対し、老健局長が定める様式による届出を行った指定短期入所生活介護事業所が、利用者に対し、指定短期入所生活介護を行った場合は、当該基準に掲げる区分に従い、次に掲げる単位数を所定単位数に加算する。ただし、次に掲げるいずれかの加算を算定している場合においては、次に掲げるその他の加算は算定しない。

(1) 介護職員等処遇改善加算(I)　イからチまでにより算定した単位数の1000分の140に相当する単位数

(2) 介護職員等処遇改善加算(II)　イからチまでにより算定した単位数の1000分の136に相当する単位数
(3) 介護職員等処遇改善加算(III)　イからチまでにより算定した単位数の1000分の113に相当する単位数
(4) 介護職員等処遇改善加算(Ⅳ)　イからチまでにより算定した単位数の1000分の90に相当する単位数
2　(略)

9　短期入所療養介護費

イ　介護老人保健施設における短期入所療養介護費
⑴ 介護老人保健施設短期入所療養介護費
㈠ 介護老人保健施設短期入所療養介護費(Ⅰ)
a 介護老人保健施設短期入所療養介護費(ⅰ)〈基本型（従来型個室）〉
ⅰ 要介護1　**753単位**
ⅱ 要介護2　**801単位**
ⅲ 要介護3　**864単位**
ⅳ 要介護4　**918単位**
ⅴ 要介護5　**971単位**
b 介護老人保健施設短期入所療養介護費(ⅱ)〈基本型・在宅強化型（従来型個室）〉
ⅰ 要介護1　**819単位**
ⅱ 要介護2　**893単位**
ⅲ 要介護3　**958単位**
ⅳ 要介護4　**1,017単位**
ⅴ 要介護5　**1,074単位**
c 介護老人保健施設短期入所療養介護費(ⅲ)〈基本型（多床室）〉
ⅰ 要介護1　**830単位**
ⅱ 要介護2　**880単位**
ⅲ 要介護3　**944単位**
ⅳ 要介護4　**997単位**
ⅴ 要介護5　**1,052単位**

d　介護老人保健施設短期入所療養介護費(ⅳ)〈基本型・在宅強化型（多床室）

ⅰ　要介護１　**902単位**

ⅱ　要介護２　**979単位**

ⅲ　要介護３　**1,044単位**

ⅳ　要介護４　**1,102単位**

ⅴ　要介護５　**1,161単位**

(二)　介護老人保健施設短期入所療養介護費(Ⅱ)

a　介護老人保健施設短期入所療養介護費(ⅰ)〈看護職員常時配置（従来型個室）〉

ⅰ　要介護１　**790単位**

ⅱ　要介護２　**874単位**

ⅲ　要介護３　**992単位**

ⅳ　要介護４　**1,071単位**

ⅴ　要介護５　**1,150単位**

b　介護老人保健施設短期入所療養介護費(ⅱ)〈看護職員常時配置（多床室）〉

ⅰ　要介護１　**870単位**

ⅱ　要介護２　**956単位**

ⅲ　要介護３　**1,074単位**

ⅳ　要介護４　**1,154単位**

ⅴ　要介護５　**1,231単位**

(三)　介護老人保健施設短期入所療養介護費(Ⅲ)

a　介護老人保健施設短期入所療養介護費(ⅰ)〈夜間オンコール（従来型個室）〉

ⅰ　要介護１　**790単位**

ⅱ　要介護２　**868単位**

ⅲ　要介護３　**965単位**

ⅳ　要介護４　**1,043単位**

ⅴ　要介護５　**1,121単位**

b 介護老人保健施設短期入所療養介護費(ⅱ)〈夜間オンコール（多床室）〉

ⅰ 要介護１ **870単位**

ⅱ 要介護２ **949単位**

ⅲ 要介護３ **1,046単位**

ⅳ 要介護４ **1,124単位**

ⅴ 要介護５ **1,203単位**

㈣ 介護老人保健施設短期入所療養介護費(Ⅳ)

a 介護老人保健施設短期入所療養介護費(ⅰ)〈従来型個室〉

ⅰ 要介護１ **738単位**

ⅱ 要介護２ **784単位**

ⅲ 要介護３ **848単位**

ⅳ 要介護４ **901単位**

ⅴ 要介護５ **953単位**

b 介護老人保健施設短期入所療養介護費(ⅱ)〈多床室〉

ⅰ 要介護１ **813単位**

ⅱ 要介護２ **863単位**

ⅲ 要介護３ **925単位**

ⅳ 要介護４ **977単位**

ⅴ 要介護５ **1,031単位**

⑵ ユニット型介護老人保健施設短期入所療養介護費

㈠ ユニット型介護老人保健施設短期入所療養介護費(Ⅰ)

a ユニット型介護老人保健施設短期入所療養介護費(ⅰ)〈基本型老健（ユニット型個室）〉

ⅰ 要介護１ **836単位**

ⅱ 要介護２ **883単位**

ⅲ 要介護３ **948単位**

ⅳ 要介護４ **1,003単位**

ⅴ 要介護５ **1,056単位**

b ユニット型介護老人保健施設短期入所療養介護費(ⅱ)〈基本型・在宅強化型老健（ユニット型個室）〉

ⅰ　要介護１　　**906単位**

ⅱ　要介護２　　**983単位**

ⅲ　要介護３　**1,048単位**

ⅳ　要介護４　**1,106単位**

ⅴ　要介護５　**1,165単位**

c　経過的ユニット型介護老人保健施設短期入所療養介護費(ⅰ)〈基本型老健（ユニット型個室的多床室）〉

ⅰ　要介護１　　**836単位**

ⅱ　要介護２　　**883単位**

ⅲ　要介護３　　**948単位**

ⅳ　要介護４　**1,003単位**

ⅴ　要介護５　**1,056単位**

d　経過的ユニット型介護老人保健施設短期入所療養介護費(ⅱ)〈基本型・在宅強化型老健（ユニット型個室的多床室）〉

ⅰ　要介護１　　**906単位**

ⅱ　要介護２　　**983単位**

ⅲ　要介護３　**1,048単位**

ⅳ　要介護４　**1,106単位**

ⅴ　要介護５　**1,165単位**

㈡　ユニット型介護老人保健施設短期入所療養介護費(Ⅱ)

a　ユニット型介護老人保健施設短期入所療養介護費〈看護職員常時配置（ユニット型個室）〉

ⅰ　要介護１　　**959単位**

ⅱ　要介護２　**1,043単位**

ⅲ　要介護３　**1,162単位**

ⅳ　要介護４　**1,242単位**

ⅴ　要介護５　**1,319単位**

b　経過的ユニット型介護老人保健施設短期入所療養介護費〈看護職員常時配置（ユニット型個室的多床室）〉

ⅰ　要介護１　　**959単位**

ⅱ　要介護２　**1,043単位**

ⅲ　要介護３　**1,162単位**

ⅳ　要介護４　**1,242単位**

ⅴ　要介護５　**1,319単位**

㈢　ユニット型介護老人保健施設短期入所療養介護費(Ⅲ)

ａ　ユニット型介護老人保健施設短期入所療養介護費〈夜間オンコール（ユニット型個室）〉

ⅰ　要介護１　**959単位**

ⅱ　要介護２　**1,037単位**

ⅲ　要介護３　**1,135単位**

ⅳ　要介護４　**1,213単位**

ⅴ　要介護５　**1,291単位**

ｂ　経過的ユニット型介護老人保健施設短期入所療養介護費〈夜間オンコール（ユニット型個室的多床室）〉

ⅰ　要介護１　**959単位**

ⅱ　要介護２　**1,037単位**

ⅲ　要介護３　**1,135単位**

ⅳ　要介護４　**1,213単位**

ⅴ　要介護５　**1,291単位**

㈣　ユニット型介護老人保健施設短期入所療養介護費(Ⅳ)

ａ　ユニット型介護老人保健施設短期入所療養介護費〈ユニット型個室〉

ⅰ　要介護１　**818単位**

ⅱ　要介護２　**866単位**

ⅲ　要介護３　**929単位**

ⅳ　要介護４　**983単位**

ⅴ　要介護５　**1,035単位**

ｂ　経過的ユニット型介護老人保健施設短期入所療養介護費〈ユニット型個室的多床室〉

ⅰ　要介護１　**818単位**

ⅱ　要介護２　**866単位**

ⅲ　要介護3　**929単位**

ⅳ　要介護4　**983単位**

ⅴ　要介護5　**1,035単位**

⑶　特定介護老人保健施設短期入所療養介護費〈日帰りショート〉

㈠　3時間以上4時間未満　**664単位**

㈡　4時間以上6時間未満　**927単位**

㈢　6時間以上8時間未満　**1,296単位**

注1～3　(略)

4　別に厚生労働大臣が定める基準を満たさない場合は、身体拘束廃止未実施減算として、所定単位数の100分の1に相当する単位数を所定単位数から減算する。

5　別に厚生労働大臣が定める基準を満たさない場合は、高齢者虐待防止措置未実施減算として、所定単位数の100分の1に相当する単位数を所定単位数から減算する。

6　別に厚生労働大臣が定める基準を満たさない場合は、業務継続計画未策定減算として、所定単位数の100分の1に相当する単位数を所定単位数から減算する。

7～10　(略)

11　別に厚生労働大臣が定める利用者に対し、居宅サービス計画において計画的に行うこととなっていない指定短期入所療養介護を緊急に行った場合は、緊急短期入所受入加算として、利用を開始した日から起算して7日(利用者の日常生活上の世話を行う家族の疾病等やむを得ない事情がある場合は、14日)を限度として1日につき90単位を所定単位数に加算する。ただし、注10の加算を算定している場合は算定しない。

12　別に厚生労働大臣が定める基準に適合しているものとして、電子情報処理組織を使用する方法により、都道府県知事に対し、老健局長が定める様式による届出を行った指定短期入所療養介護事業所において、若年性認知症利用者に対して指定短期入所療養介護を行った場合は、若年性認知症利用者受入加算として、(1)及び(2)については1日につき120単位を、(3)については1日につき60単位を所定単位数に加算する。ただし、注10を算定している場合は、算定しない。

13　(略)

14　介護老人保健施設短期入所療養介護費(I)の介護老人保健施設短期入所療養介護費(i)及び(iii)並びにユニット型介護老人保健施設短期入所療養介護費(I)のユニット型介護老人保健施設短期入所療養介護費(i)及び(iii)について、別に厚生労働大臣が定める基準に適合するものとして、電子情報処理組織を使用する方法により、都道府県知事に対し、老健局長が定める様式による届出を行った指定短期入所療養介護事業所については、在宅復帰・在宅療養支援機能加算(I)として、1日につき51単位を、介護老人保健施設短期入所療養介護費(I)の介護老人保健施設短期入所療養介護費(ii)及び(iv)並びにユニット型介護老人保健施設短期入所療養介護費(I)のユニット型介護老人保健施設短期入所療養介護費(ii)及び(iv)について、別に厚生労働大臣が定める基準に適合するものとして、電子情報処理組織を使用する方法により、都道府県知事に対し、老健局長が定める様式による届出を行った介護老人保健施設については、在宅復帰・在宅療養支援機能加算(II)として、1日につき51単位を所定単位数に加算する。

15・16　(略)

17　指定施設サービス等介護給付費単位数表の規定により、注1及び注9の規定による届出に相当する介護保健施設サービスに係る届出があったときは、注1及び注9の規定による届出があったものとみなす。

18～20　(略)

21　(1)(四)又は(2)(四)を算定している介護老人保健施設である指定短期入所療養介護事業所については、注8、注13及び注14は算定しない。

(4) 総合医学管理加算　**275単位**

注1　治療管理を目的とし、別に厚生労働大臣が定める基準に従い指定短期入所療養介護を行った場合に、10日を限度として1日につき所定単位数を加算する。

2　(略)

(5) 口腔連携強化加算

注　別に厚生労働大臣が定める基準に適合しているものとして、電子情報処理組織を使用する方法により、都道府県知事に対し、老健局長が定める様式による届出を行った指定短期入所療養介護事業所の従業者が、口腔の健康状態の評価を実施した場合において、利用者の同意を得て、歯科医療機関及び介護支援専門員に対し、当該評価の結果の情報 提供を行ったときは、口腔連携強化加算として、1月に1 回に限り所定単位数を加算する。

(6)〜(8)　　(略)

(9) 生産性向上推進体制加算

注　別に厚生労働大臣が定める基準に適合しているものとして、電子情報処理組織を使用する方法により、都道府県知事に対し、老健局長が定める様式による届出を行った指定短期入所療養介護事業所において、利用者に対して指定短期入所療養介護を行った場合は、当該基準に掲げる区分に従い、1月につき次に掲げる所定単位数を加算する。ただし、次に掲げるいずれかの加算を算定している場合においては、次に掲げるその他の加算は算定しない。

(一) 生産性向上推進体制加算(I)　　**100単位**

(二) 生産性向上推進体制加算(II)　　**10単位**

(10)　　(略)

(11) 介護職員等処遇改善加算

注　別に厚生労働大臣が定める基準に適合している介護職員の賃金の改善等を実施しているものとして、電子情報処理組織を使用する方法により、都道府県知事に対し、老健局長が定める様式による届出を行った指定短期入所療養介護事業所が、利用者に対し、指定短期入所療養介護を行った場合は、当該基準に掲げる区分に従い、次に掲げる単位数を所定単位数に加算する。ただし、次に掲げるいずれかの加算を算定している場合においては、次に掲げるその他の加算は算定しない。

(1) 介護職員等処遇改善加算(I)　　(1)から(10)までにより算定した単位数の1000分の75に相当する単位数

(2) 介護職員等処遇改善加算(II)　　(1)から(10)までにより算定した単位数の1000分の71に相当する単位数

(3) 介護職員等処遇改善加算(III)　　(1)から(10)までにより算定した単位数の1000分の54に相当する単位数

(4) 介護職員等処遇改善加算(Ⅳ)　　(1)から(10)までにより算定した単位数

の1000分の44に相当する単位数

2　(略)

ロ　療養病床を有する病院における短期入所療養介護費

(1) 病院療養病床短期入所療養介護費（1日につき）

(一) 病院療養病床短期入所療養介護費(Ⅰ)

a　病院療養病床短期入所療養介護費(ⅰ)〈従来型個室〉

ⅰ　要介護1　**723単位**

ⅱ　要介護2　**830単位**

ⅲ　要介護3　**1,064単位**

ⅳ　要介護4　**1,163単位**

ⅴ　要介護5　**1,253単位**

b　病院療養病床短期入所療養介護費(ⅱ)〈従来型個室（療養機能強化型A）〉

ⅰ　要介護1　**753単位**

ⅱ　要介護2　**866単位**

ⅲ　要介護3　**1,109単位**

ⅳ　要介護4　**1,213単位**

ⅴ　要介護5　**1,306単位**

c　病院療養病床短期入所療養介護費(ⅲ)〈従来型個室（療養機能強化型B）〉

ⅰ　要介護1　**742単位**

ⅱ　要介護2　**854単位**

ⅲ　要介護3　**1,094単位**

ⅳ　要介護4　**1,196単位**

ⅴ　要介護5　**1,288単位**

d　病院療養病床短期入所療養介護費(ⅳ)〈多床室〉

ⅰ　要介護1　**831単位**

ⅱ　要介護2　**941単位**

ⅲ　要介護3　**1,173単位**

ⅳ　要介護4　**1,273単位**

v　要介護５　**1,362単位**

e　病院療養病床短期入所療養介護費(ｖ)〈多床室（療養機能強化型Ａ）〉

i　要介護１　**867単位**

ii　要介護２　**980単位**

iii　要介護３　**1,224単位**

iv　要介護４　**1,328単位**

v　要介護５　**1,421単位**

f　病院療養病床短期入所療養介護費(ⅵ)〈多床室（療養機能強化型Ｂ）〉

i　要介護１　**855単位**

ii　要介護２　**966単位**

iii　要介護３　**1,206単位**

iv　要介護４　**1,307単位**

v　要介護５　**1,399単位**

㈡　病院療養病床短期入所療養介護費(Ⅱ)

a　病院療養病床短期入所療養介護費(ⅰ)〈従来型個室〉

i　要介護１　**666単位**

ii　要介護２　**773単位**

iii　要介護３　**933単位**

iv　要介護４　**1,086単位**

v　要介護５　**1,127単位**

b　病院療養病床短期入所療養介護費(ⅱ)〈従来型個室（療養機能強化型Ｂ）〉

i　要介護１　**681単位**

ii　要介護２　**792単位**

iii　要介護３　**955単位**

iv　要介護４　**1,111単位**

v　要介護５　**1,154単位**

c　病院療養病床短期入所療養介護費(ⅲ)〈多床室〉

i　要介護１　**775単位**

ii　要介護２　**884単位**

iii　要介護３　**1,042単位**

iv　要介護４　**1,196単位**

v　要介護５　**1,237単位**

d　病院療養病床短期入所療養介護費(iv)〈多床室（療養機能強化型B）〉

i　要介護１　**795単位**

ii　要介護２　**905単位**

iii　要介護３　**1,066単位**

iv　要介護４　**1,224単位**

v　要介護５　**1,266単位**

(三)　病院療養病床短期入所療養介護費(Ⅲ)

a　病院療養病床短期入所療養介護費(ｉ)〈従来型個室〉

i　要介護１　**642単位**

ii　要介護２　**754単位**

iii　要介護３　**904単位**

iv　要介護４　**1,059単位**

v　要介護５　**1,100単位**

b　病院療養病床短期入所療養介護費(ii)〈多床室〉

i　要介護１　**754単位**

ii　要介護２　**864単位**

iii　要介護３　**1,014単位**

iv　要介護４　**1,170単位**

v　要介護５　**1,211単位**

(2)　病院療養病床経過型短期入所療養介護費（１日につき）

(一)　病院療養病床経過型短期入所療養介護費(Ｉ)

a　病院療養病床経過型短期入所療養介護費(ｉ)〈従来型個室〉

i　要介護１　**732単位**

ii　要介護２　**841単位**

iii　要介護３　**992単位**

iv　要介護４　**1,081単位**

v　要介護５　**1,172単位**

b　病院療養病床経過型短期入所療養介護費(ⅱ)〈多床室〉

ⅰ　要介護１　**843単位**

ⅱ　要介護２　**953単位**

ⅲ　要介護３　**1,101単位**

ⅳ　要介護４　**1,193単位**

ⅴ　要介護５　**1,283単位**

㈡　病院療養病床経過型短期入所療養介護費(Ⅱ)

a　病院療養病床経過型短期入所療養介護費(ⅰ)〈従来型個室〉

ⅰ　要介護１　**732単位**

ⅱ　要介護２　**841単位**

ⅲ　要介護３　**950単位**

ⅳ　要介護４　**1,041単位**

ⅴ　要介護５　**1,130単位**

b　病院療養病床経過型短期入所療養介護費(ⅱ)〈多床室〉

ⅰ　要介護１　**843単位**

ⅱ　要介護２　**953単位**

ⅲ　要介護３　**1,059単位**

ⅳ　要介護４　**1,149単位**

ⅴ　要介護５　**1,242単位**

⑶　ユニット型病院療養病床短期入所療養介護費（１日につき）

㈠　ユニット型病院療養病床短期入所療養介護費(Ⅰ)〈ユニット型個室〉

a　要介護１　**856単位**

b　要介護２　**963単位**

c　要介護３　**1,197単位**

d　要介護４　**1,296単位**

e　要介護５　**1,385単位**

㈡　ユニット型病院療養病床短期入所療養介護費(Ⅱ)〈ユニット型個室（療養機能強化型A）〉

a　要介護１　**885単位**

b　要介護２　**998単位**

c　要介護３　**1,242単位**

d　要介護４　**1,345単位**

e　要介護５　**1,438単位**

㈢　ユニット型病院療養病床短期入所療養介護費(Ⅲ)〈ユニット型個室（療養機能強化型B）〉

a　要介護１　**874単位**

b　要介護２　**985単位**

c　要介護３　**1,226単位**

d　要介護４　**1,328単位**

e　要介護５　**1,419単位**

㈣　経過的ユニット型病院療養病床短期入所療養介護費(Ⅰ)〈ユニット型個室的多床室〉

a　要介護１　**856単位**

b　要介護２　**963単位**

c　要介護３　**1,197単位**

d　要介護４　**1,296単位**

e　要介護５　**1,385単位**

㈤　経過的ユニット型病院療養病床短期入所療養介護費(Ⅱ)〈ユニット型個室的多床室（療養機能強化型A）〉

a　要介護１　**885単位**

b　要介護２　**998単位**

c　要介護３　**1,242単位**

d　要介護４　**1,345単位**

e　要介護５　**1,438単位**

㈥　経過的ユニット型病院療養病床短期入所療養介護費(Ⅲ)〈ユニット型個室的多床室（療養機能強化型B）〉

a　要介護１　**874単位**

b　要介護２　**985単位**

c　要介護３　**1,226単位**

d　要介護４　**1,328単位**

e　要介護５　**1,419単位**

⑷ ユニット型病院療養病床経過型短期入所療養介護費（１日につき）

㈠ ユニット型病院療養病床経過型短期入所療養介護費〈ユニット型個室〉

a　要介護１　**856単位**

b　要介護２　**963単位**

c　要介護３　**1,105単位**

d　要介護４　**1,195単位**

e　要介護５　**1,284単位**

㈡ 経過的ユニット型病院療養病床経過型短期入所療養介護費〈ユニット型個室的多床室〉

a　要介護１　**856単位**

b　要介護２　**963単位**

c　要介護３　**1,105単位**

d　要介護４　**1,195単位**

e　要介護５　**1,284単位**

⑸ 特定病院療養病床短期入所療養介護費〈日帰りショート〉

㈠ ３時間以上４時間未満　**684単位**

㈡ ４時間以上６時間未満　**948単位**

㈢ ６時間以上８時間未満　**1,316単位**

注１　(1)から(4)までについて、療養病床(医療法第7条第2項第4号に規定する療養病床をいう。以下同じ)を有する病院である指定短期入所療養介護事業所であって、別に厚生労働大臣が定める施設基準に適合し、かつ、別に厚生労働大臣が定める夜勤を行う職員の勤務条件に関する基準を満たすものとして、電子情報処理組織を使用する方法により、都道府県知事に対し、老健局長が定める様式による届出を行ったものにおける当該届出に係る病棟(療養病床に係るものに限る)において、指定短期入所療養介護を行った場合に、当該施設基準に掲げる区分及び別に厚生労働大臣が定める基準に掲げる区分に従い、利用者の要介護状態区分に応じて、それぞれ所定単位数を算定する。ただし、当該夜勤を行う職員の勤務条件に関する基準を満たさない場合は、所定単位数から25単位を控除して得た単位数を算定する。なお、利用者の数又は医師、看護

職員若しくは介護職員の員数が別に厚生労働大臣が定める基準に該当する場合は、別に厚生労働大臣が定めるところにより算定する。

2　(5)について、療養病床を有する病院である指定短期入所療養介護事業所であって、別に厚生労働大臣が定める施設基準に適合し、かつ、別に厚生労働大臣が定める夜勤を行う職員の勤務条件に関する基準を満たすものとして、電子情報処理組織を使用する方法により、都道府県知事に対し、老健局長が定める様式による届出を行ったものにおける当該届出に係る病棟(療養病床に係るものに限る)において、利用者(別に厚生労働大臣が定める者に限る)に対して、日中のみの指定短期入所療養介護を行った場合に、現に要した時間ではなく、短期入所療養介護計画に位置付けられた内容の指定短期入所療養介護を行うのに要する標準的な時間でそれぞれ所定単位数を算定する。ただし、 当該夜勤を行う職員の勤務条件に関する基準を満たさない場合は、所定単位数から25単位を控除して得た単位数を算定する。なお、利用者の数又は医師、看護職員若しくは介護職員の員数が別に厚生労働大臣が定める基準に該当する場合は、別に厚生労働大臣が定めるところにより算定する 。

3　　(略)

4　別に厚生労働大臣が定める基準を満たさない場合は、身体拘束廃止未実施減算として、所定単位数の100分の１に相当する単位数を所定単位数から減算する。

5　別に厚生労働大臣が定める基準を満たさない場合は、高齢者虐待防止措置未実施減算として、所定単位数の100分の１に相当する単位数を所定単位数から減算する。

6　別に厚生労働大臣が定める基準を満たさない場合は、業務継続計画未策定減算として、所定単位数の100分の１に相当する単位数を所定単位数から減算する。

7・8　　(略)

9　(1)から(4)までについて、別に厚生労働大臣が定める夜勤を行う職員の勤務条件に関する基準を満たすものとして、電子情報処理組織を使用する方法により、都道府県知事に対し、老健局長が定める様式による届出を行った指定短期入所療養介護事業所については、当該基準に掲げる区分に従い、１日につき次に掲げる単位数を所定単位数に加算する。
イ～ニ　(略)
10　(略)
11　別に厚生労働大臣が定める利用者に対し、居宅サービス計画において計画的に行うこととなっていない指定短期入所療養介護を緊急に行った場合は、緊急短期入所受入加算として、利用を開始した日から起算して７日(利用者の日 常生活上の世話を行う家族の疾病等やむを得ない事情がある場合は、14日)を限度として１日につき90単位を所定単位数に加算する。ただし、注10を算定している場合は、算定しない。
12　別に厚生労働大臣が定める基準に適合しているものとして、電子情報処理組織を使用する方法により、都道府県知事に対し、老健局長が定める様式による届出を行った指定 短期入所療養介護事業所において、若年性認知症利用者に対して指定短期入所療養介護を行った場合は、若年性認知症利用者受入加算として、(1)から(4)までについては1日につき120単位を、(5)については1日につき60単位を所定単位数に加算する。ただし、注10を算定している場合は、算定しない。
13　電子情報処理組織を使用する方法により、都道府県知事に対し、老健局長が定める様式による届出を行った指定短期入所療養介護事業所において、利用者の心身の状態、家族等の事情等からみて送迎を行うことが必要と認められる利用者に対して、その居宅と指定短期入所療養介護事業所との間の送迎を行う場合は、片道につき184単位を所定単位数に加算する。
14　(略)
15　(略)
(6) 口腔連携強化加算　**50単位**
注　別に厚生労働大臣が定める基準に適合しているものとして、電子情報処理組織を使用する方法により、都道府県知事に対し、老健局長が定める様式による届出を行った指定短期入所療養介護事業所の従業者が、口腔の健康状態の評価を実施した場合において、利用者の同意を得て、歯科医療機関及び介護支援専門員に対し、当該評価の結果の情報提供を行ったときは、口腔連携強化加算として、１月に１回に限り所定単位数を加算する。

(7) 療養食加算　　**8単位**

注　次に掲げるいずれの基準にも適合するものとして、電子情報処理組織を使用する方法により、都道府県知事に対し、老健局長が定める様式による届出を行い、当該基準による食事の提供を行う指定短期入所療養介護事業所が、別に厚生労働大臣が定める療養食を提供したときは、１日につき３回を限度として、所定単位数を加算する。

イ～ハ　(略)

(8) 認知症専門ケア加算

注　別に厚生労働大臣が定める基準に適合しているものとして、電子情報処理組織を使用する方法により、都道府県知事に対し、老健局長が定める様式による届出を行い、指定短期入所療養介護事業所において、別に厚生労働大臣が定める者に対して専門的な認知症ケアを行った場合は、当該基準に掲げる区分に従い、1日につき次に掲げる所定単位数を加算する。ただし、次に掲げるいずれかの加算を算定している場合においては、次に掲げるその他の加算は算定しない。

(一)・(二)　(略)

(9)　(略)

(10) 生産性向上推進体制加算

注　別に厚生労働大臣が定める基準に適合しているものとして、電子情報処理組織を使用する方法により、都道府県知事に対し、老健局長が定める様式による届出を行った指定短期入所療養介護事業所において、利用者に対して指定短期入所療養介護を行った場合は、当該基準に掲げる区分に従い、１月につき次に掲げる所定単位数を加算する。ただし、次に掲げるいずれかの加算を算定している場合においては、次に掲げるその他の加算は算定しない。

(1) 生産性向上推進体制加算(I)　　**100単位**

(2) 生産性向上推進体制加算(II)　　**10単位**

(11) サービス提供体制強化加算

注　別に厚生労働大臣が定める基準に適合しているものとして、電子情報処理組織を使用する方法により、都道府県知事に対し、老健局長が定める様式による届出を行った指定短期入所療養介護事業所が、利用者に対し、指定短期入所療養介護を行った場合は、当該基準に掲げる区分に従い、１日につき次に掲げる所定単位数を加算する。ただし、次に掲げるいずれかの加算を算定している場合においては、次に掲げるその他の加算は算定しない。

(1)〜(3)　　(略)

(12)　介護職員等処遇改善加算

注　別に厚生労働大臣が定める基準に適合している介護職員の賃金の改善等を実施しているものとして、電子情報処理組織を使用する方法により、都道府県知事に対し、老健局長が定める様式による届出を行った指定短期入所療養介護事業所が、利用者に対し、指定短期入所療養介護を行った場合は、当該基準に掲げる区分に従い、次に掲げる単位数を所定単位数に加算する。ただし、次に掲げるいずれかの加算を算定している場合においては、次に掲げるその他の加算は算定しない。

(1) 介護職員等処遇改善加算(I)　　(1)から(11)までにより算定した単位数の1000分の51に相当する単位数

(2) 介護職員等処遇改善加算(II)　　(1)から(11)までにより算定した単位数の1000分の19に相当する単位数

(3) 介護職員等処遇改善加算(III)　　(1)から(11)までにより算定した単位数の1000分の36に相当する単位数

(4) 介護職員等処遇改善加算(Ⅳ)　　(1)から(11)までにより算定した単位数の1000分の29に相当する単位数

２　　(略)

ハ　診療所における短期入所療養介護費

⑴　診療所短期入所療養介護費（１日につき）

㈠　診療所短期入所療養介護費(Ｉ)

a　診療所短期入所療養介護費(ｉ)〈従来型個室〉

ⅰ　要介護１　**705単位**

ⅱ　要介護２　**756単位**

ⅲ　要介護３　**806単位**

ⅳ　要介護４　**857単位**

ⅴ　要介護５　**908単位**

b　診療所短期入所療養介護費(ⅱ)〈従来型個室（療養機能強化型A）〉

ⅰ　要介護1　**732単位**

ⅱ　要介護2　**786単位**

ⅲ　要介護3　**839単位**

ⅳ　要介護4　**893単位**

ⅴ　要介護5　**946単位**

c　診療所短期入所療養介護費(ⅲ)〈従来型個室（療養機能強化型B）〉

ⅰ　要介護1　**723単位**

ⅱ　要介護2　**775単位**

ⅲ　要介護3　**827単位**

ⅳ　要介護4　**879単位**

ⅴ　要介護5　**932単位**

d　診療所短期入所療養介護費(ⅳ)〈多床室〉

ⅰ　要介護1　**813単位**

ⅱ　要介護2　**864単位**

ⅲ　要介護3　**916単位**

ⅳ　要介護4　**965単位**

ⅴ　要介護5　**1,016単位**

e　診療所短期入所療養介護費(ⅴ)〈多床室（療養機能強化型A）〉

ⅰ　要介護1　**847単位**

ⅱ　要介護2　**901単位**

ⅲ　要介護3　**954単位**

ⅳ　要介護4　**1,006単位**

ⅴ　要介護5　**1,059単位**

f　診療所短期入所療養介護費(ⅵ)〈多床室（療養機能強化型B）〉

ⅰ　要介護1　**835単位**

ⅱ　要介護2　**888単位**

ⅲ　要介護3　**941単位**

ⅳ　要介護4　**992単位**

ⅴ　要介護5　**1,045単位**

㈡ 診療所短期入所療養介護費(Ⅱ)

a 診療所短期入所療養介護費(ⅰ)〈従来型個室〉

ⅰ 要介護１ **624単位**

ⅱ 要介護２ **670単位**

ⅲ 要介護３ **715単位**

ⅳ 要介護４ **762単位**

ⅴ 要介護５ **807単位**

b 診療所短期入所療養介護費(ⅱ)〈多床室〉

ⅰ 要介護１ **734単位**

ⅱ 要介護２ **779単位**

ⅲ 要介護３ **825単位**

ⅳ 要介護４ **871単位**

ⅴ 要介護５ **917単位**

⑵ ユニット型診療所短期入所療養介護費（１日につき）

㈠ ユニット型診療所短期入所療養介護費(Ⅰ)〈ユニット型個室〉

a 要介護１ **835単位**

b 要介護２ **887単位**

c 要介護３ **937単位**

d 要介護４ **988単位**

e 要介護５ **1,039単位**

㈡ ユニット型診療所短期入所療養介護費(Ⅱ)〈ユニット型個室（療養機能強化型A）〉

a 要介護１ **864単位**

b 要介護２ **918単位**

c 要介護３ **970単位**

d 要介護４ **1,022単位**

e 要介護５ **1,076単位**

㈢ ユニット型診療所短期入所療養介護費(Ⅲ)〈ユニット型個室（療養機能強化型B）〉

a 要介護１ **854単位**

b　要介護２　**907単位**

c　要介護３　**959単位**

d　要介護４　**1,010単位**

e　要介護５　**1,062単位**

㈣　経過的ユニット型診療所短期入所療養介護費(Ⅰ)〈ユニット型個室的多床室〉

a　要介護１　**835単位**

b　要介護２　**887単位**

c　要介護３　**937単位**

d　要介護４　**988単位**

e　要介護５　**1,039単位**

㈤　経過的ユニット型診療所短期入所療養介護費(Ⅱ)〈ユニット型個室的多床室（療養機能強化型Ａ）〉

a　要介護１　**864単位**

b　要介護２　**918単位**

c　要介護３　**970単位**

d　要介護４　**1,022単位**

e　要介護５　**1,076単位**

㈥　経過的ユニット型診療所短期入所療養介護(Ⅲ)〈ユニット型個室的多床室（療養機能強化型Ｂ）〉

a　要介護１　**854単位**

b　要介護２　**907単位**

c　要介護３　**959単位**

d　要介護４　**1,010単位**

e　要介護５　**1,062単位**

⑶　特定診療所短期入所療養介護費〈日帰りショート〉

㈠　３時間以上４時間未満　**684単位**

㈡　４時間以上６時間未満　**948単位**

㈢　６時間以上８時間未満　**1,316単位**

注１　⑴及び⑵について、診療所である指定短期入所療養介護事業所で

あって、別に厚生労働大臣が定める施設基準に適合しているものとして、電子情報処理組織を使用する方法により、都道府県知事に対し、老健局長が定める様式による届出を行ったものにおける当該届出に係る病室において、指定短期入所療養介護を行った場合に、当該施設基準に掲げる区分及び別に厚生労働大臣が定める基準に掲げる区分に従い、利用者の要介護状態区分に応じて、それぞれ所定単位数を算定する。ただし、利用者の数が別に厚生労働大臣が定める基準に該当する場合は、別に厚生労働大臣定めるところにより算定する。

2　(3)について、診療所である指定短期入所療養介護事業所であって、別に厚生労働大臣が定める施設基準に適合しているものとして、電子情報処理組織を使用する方法により、都道府県知事に対し、老健局長が定める様式による届出を行ったものにおける当該届出に係る病室において、利用者(別に厚生労働大臣が定める者に限る)に対して、日中のみの指定短期入所療養介護を行った場合に、現に要した時間ではなく、短期入所療養介護計画に位置付けられた内容の指定短期入所療養介護を行うのに要する標準的な時間でそれぞれ所定単位数を算定する。ただし、利用者の数が別に厚生労働大臣が定める基準に該当する場合は、別に厚生労働大臣が定めるところにより算定する。

3　　(略)

4　別に厚生労働大臣が定める基準を満たさない場合は、身体拘束廃止未実施減算として、所定単位数の100分の１に相当する単位数を所定単位数から減算する。

5　別に厚生労働大臣が定める基準を満たさない場合は、高齢者虐待防止措置未実施減算として、所定単位数の100分の1に相当する単位数を所定単位数から減算する。

6　別に厚生労働大臣が定める基準を満たさない場合は、業務継続計画未策定減算として、所定単位数の100分の1に相当する単位数を所定単位数から減算する。

7～9　　(略)

10　別に厚生労働大臣が定める利用者に対し、居宅サービス計画において計画的に行うこととなっていない指定短期入所療養介護を緊急に行った場合は、緊急短期入所受入加算として、利用を開始した日から起算して7日(利用者の日常生活上の世話を行う家族の疾病等やむを得ない事情がある場合は、14日)を限度として1日につき90単位を所定単位数に加算する。ただし、注９を算定している場合は、算定しない。

11　別に厚生労働大臣が定める基準に適合しているものとして、電子情報処理組織を使用する方法により、都道府県知事に対し、老健局長が定める様式による届出を行った指定短期入所療養介護事業所において、若年性認知症利用者に対して指定短期入所療養介護を行った場合は、若年性認知症利用者受入加算として、(1)及び(2)については1日につき120単位を、(3)については1日につき60単位を所定単位数に加算する。ただし、注9を算定している場合は、算定しない。

12　電子情報処理組織を使用する方法により、都道府県知事に対し、老健局長が定める様式による届出を行った指定短期入所療養介護事業所において、利用者の心身の状態、家族等の事情等からみて送迎を行うことが必要と認められる利用者に対して、その居宅と指定短期入所療養介護事業所との間の送迎を行う場合は、片道につき184単位を所定単位数に加算する。

13　　(略)

14　　(略)

(4) 口腔連携強化加算　**50単位**

注　別に厚生労働大臣が定める基準に適合しているものとして、電子情報処理組織を使用する方法により、都道府県知事に対し、老健局長が定める様式による届出を行った指定短期入所療養介護事業所の従業者が、口腔の健康状態の評価を実施した場合において、利用者の同意を得て、歯科医療機関及び介護支援専門員に対し、当該評価の結果の情報提供を行ったときは口腔連携強化加算として、1月に1回に限り所定単位数を加算する。

(5) 療養食加算　**8単位**

注　次に掲げるいずれの基準にも適合するものとして、電子情報処理組織を使用する方法により、都道府県知事に対し、老健局長が定める様式による届出を行い、当該基準による食事の提供を行う指定短期入所療養介護事業所が、別に厚生労働大臣が定める療養食を提供したときは、１日につき３回を限度として、所定単位数を加算する。

イ～ハ　(略)

(6) 認知症専門ケア加算

注　別に厚生労働大臣が定める基準に適合しているものとして、電子情報処理組織を使用する方法により、都道府県知事に対し、老健局長が定める様式による届出を行った指定短期入所療養介護事業所において、別に厚生労働大臣が定める者に対して専門的な認知症ケアを行った場合は、当該基準に掲げる区分に従い、1日につき次に掲げる所定単位数を加算する。ただし、次に掲げるいずれかの加算を算定している場合においては、次に掲げるその他の加算は算定しない。

(一)・(二)　(略)

(7)　(略)

(8) 生産性向上推進体制加算

注　別に厚生労働大臣が定める基準に適合しているものとして、電子情報処理組織を使用する方法により、都道府県知事に対し、老健局長が定める様式による届出を行った指定短期入所療養介護事業所において、利用者に対して指定短期入所療養介護を行った場合は、当該基準に掲げる区分に従い、1月につき次に掲げる所定単位数を加算する。ただし、次に掲げるいずれかの加算を算定している場合においては、次に掲げるその他の加算は算定しない。

(1) 生産性向上推進体制加算(I)　**100単位**

(2) 生産性向上推進体制加算(II)　**10単位**

(9) サービス提供体制強化加算

注　別に厚生労働大臣が定める基準に適合しているものとして、電子情報処理組織を使用する方法により、都道府県知事に対し、老健局長が定める様式による届出を行った指定短期入所療養介護事業所が、利用者に対し、指定短期入所療養介護を行った場合は、当該基準に掲げる区分に従い、1日につき次に掲げる所定単位数を加算する。ただし、次に掲げるいずれかの加算を算定している場合においては、次に掲げるその他の加算は算定しない。

(一)～(三)　(略)

(10) 介護職員等処遇改善加算

注　別に厚生労働大臣が定める基準に適合している介護職員の賃金の改善等

を実施しているものとして、電子情報処理組織を使用する方法により、都道府県知事に対し、老健局長が定める様式による届出を行った指定短期入所療養介護事業所が、利用者に対し、指定短期入所療養介護を行った場合は、当該基準に掲げる区分に従い、次に掲げる単位数を所定単位数に加算する。ただし、次に掲げるいずれかの加算を算定している場合においては、次に掲げるその他の加算は算定しない。

(1) 介護職員等処遇改善加算(I)　(1)から(9)までにより算定した単位数の1000分の51に相当する単位数

(2) 介護職員等処遇改善加算(II)　(1)から(9)までにより算定した単位数の1000分の47に相当する単位数

(3) 介護職員等処遇改善加算(III)　(1)から(9)までにより算定した単位数の1000分の36に相当する単位数

(4) 介護職員等処遇改善加算(Ⅳ)　(1)から(9)までにより算定した単位数の1000分の29に相当する単位数

ホ介護医療院における短期入所療養介護費

⑴ Ｉ型介護医療院短期入所療養介護費（１日につき）

㈠ Ｉ型介護医療院短期入所療養介護費(Ｉ)

a　Ｉ型介護医療院短期入所療養介護(ｉ)〈従来型個室〉

ⅰ　要介護１　**778単位**
ⅱ　要介護２　**893単位**
ⅲ　要介護３　**1,136単位**
ⅳ　要介護４　**1,240単位**
ⅴ　要介護５　**1,333単位**

b　Ｉ型介護医療院短期入所療養介護費(ⅱ)〈多床室〉

ⅰ　要介護１　**894単位**
ⅱ　要介護２　**1,006単位**
ⅲ　要介護３　**1,250単位**
ⅳ　要介護４　**1,353単位**
ⅴ　要介護５　**1,446単位**

㈡ Ｉ型介護医療院短期入所療養介護費(Ⅱ)

a Ⅰ型介護医療院短期入所療養介護費(ⅰ)〈従来型個室〉

ⅰ　要介護1　**768単位**

ⅱ　要介護2　**879単位**

ⅲ　要介護3　**1,119単位**

ⅳ　要介護4　**1,222単位**

ⅴ　要介護5　**1,314単位**

b Ⅰ型介護医療院短期入所療養介護費(ⅱ)〈多床室〉

ⅰ　要介護1　**880単位**

ⅱ　要介護2　**993単位**

ⅲ　要介護3　**1,233単位**

ⅳ　要介護4　**1,334単位**

ⅴ　要介護5　**1,426単位**

㈢ Ⅰ型介護医療院短期入所療養介護費(Ⅲ)

a Ⅰ型介護医療院短期入所療養介護費(ⅰ)〈従来型個室〉

ⅰ　要介護1　**752単位**

ⅱ　要介護2　**863単位**

ⅲ　要介護3　**1,103単位**

ⅳ　要介護4　**1,205単位**

ⅴ　要介護5　**1,297単位**

b Ⅰ型介護医療院短期入所療養介護費(ⅱ)〈多床室〉

ⅰ　要介護1　**864単位**

ⅱ　要介護2　**975単位**

ⅲ　要介護3　**1,215単位**

ⅳ　要介護4　**1,317単位**

ⅴ　要介護5　**1,409単位**

⑵ Ⅱ型介護医療院短期入所療養介護費（1日につき）

㈠ Ⅱ型介護医療院短期入所療養介護費(Ⅰ)

a Ⅱ型介護医療院短期入所療養介護費(ⅰ)〈従来型個室〉

ⅰ　要介護1　**731単位**

ⅱ　要介護2　**829単位**

iii　要介護３　**1,044単位**

iv　要介護４　**1,135単位**

v　要介護５　**1,217単位**

b　Ⅱ型介護医療院短期入所療養介護費(ii)〈多床室〉

i　要介護１　**846単位**

ii　要介護２　**945単位**

iii　要介護３　**1,157単位**

iv　要介護４　**1,249単位**

v　要介護５　**1,331単位**

(二)　Ⅱ型介護医療院短期入所療養介護費(Ⅱ)

a　Ⅱ型介護医療院短期入所療養介護費(i)〈従来型個室〉

i　要介護１　**715単位**

ii　要介護２　**813単位**

iii　要介護３　**1,027単位**

iv　要介護４　**1,117単位**

v　要介護５　**1,200単位**

b　Ⅱ型介護医療院短期入所療養介護費(ii)〈多床室〉

i　要介護１　**828単位**

ii　要介護２　**927単位**

iii　要介護３　**1,141単位**

iv　要介護４　**1,233単位**

v　要介護５　**1,314単位**

(三)　Ⅱ型介護医療院短期入所療養介護費(Ⅲ)

a　Ⅱ型介護医療院短期入所療養介護費(i)〈従来型個室〉

i　要介護１　**704単位**

ii　要介護２　**802単位**

iii　要介護３　**1,015単位**

iv　要介護４　**1,106単位**

v　要介護５　**1,188単位**

b　Ⅱ型介護医療院短期入所療養介護費(ii)〈多床室〉

i　要介護１　**817単位**
ii　要介護２　**916単位**
iii　要介護３　**1,129単位**
iv　要介護４　**1,221単位**
v　要介護５　**1,302単位**

⑶ 特別介護医療院短期入所療養介護費（１日につき）

㈠ Ⅰ型特別介護医療院短期入所療養介護費

a　Ⅰ型特別介護医療院短期入所療養介護費(ⅰ)〈従来型個室〉

i　要介護１　**717単位**
ii　要介護２　**821単位**
iii　要介護３　**1,051単位**
iv　要介護４　**1,147単位**
v　要介護５　**1,236単位**

b　Ⅰ型特別介護医療院短期入所療養介護費(ⅱ)〈多床室〉

i　要介護１　**822単位**
ii　要介護２　**929単位**
iii　要介護３　**1,156単位**
iv　要介護４　**1,254単位**
v　要介護５　**1,341単位**

㈡ Ⅱ型特別介護医療院短期入所療養介護費

a　Ⅱ型特別介護医療院短期入所療養介護費(ⅰ)〈従来型個室〉

i　要介護１　**670単位**
ii　要介護２　**764単位**
iii　要介護３　**967単位**
iv　要介護４　**1,054単位**
v　要介護５　**1,132単位**

b　Ⅱ型特別介護医療院短期入所療養介護費(ⅱ)〈多床室〉

i　要介護１　**778単位**
ii　要介護２　**873単位**
iii　要介護３　**1,076単位**

ⅳ　要介護４　**1,161単位**

ⅴ　要介護５　**1,240単位**

⑷ ユニット型Ⅰ型介護医療院短期入所療養介護費（１日につき）

㈠ ユニット型Ⅰ型介護医療院短期入所療養介護費(Ⅰ)

a　ユニット型Ⅰ型介護医療院短期入所療養介護費〈ユニット型個室〉

ⅰ　要介護１　**911単位**

ⅱ　要介護２　**1,023単位**

ⅲ　要介護３　**1,268単位**

ⅳ　要介護４　**1,371単位**

ⅴ　要介護５　**1,464単位**

b　経過的ユニット型Ⅰ型介護医療院短期入所療養介護費〈ユニット型個室的多床室〉

ⅰ　要介護１　**911単位**

ⅱ　要介護２　**1,023単位**

ⅲ　要介護３　**1,268単位**

ⅳ　要介護４　**1,371単位**

ⅴ　要介護５　**1,464単位**

㈡ ユニット型Ⅰ型介護医療院短期入所療養介護費(Ⅱ)

a　ユニット型Ⅰ型介護医療院短期入所療養介護費〈ユニット型個室〉

ⅰ　要介護１　**901単位**

ⅱ　要介護２　**1,011単位**

ⅲ　要介護３　**1,252単位**

ⅳ　要介護４　**1,353単位**

ⅴ　要介護５　**1,445単位**

b　経過的ユニット型Ⅰ型介護医療院短期入所療養介護費〈ユニット型個室的多床室〉

ⅰ　要介護１　**901単位**

ⅱ　要介護２　**1,011単位**

ⅲ　要介護３　**1,252単位**

ⅳ　要介護４　**1,353単位**

v　要介護５　**1,445単位**

⑸　ユニット型Ⅱ型介護医療院短期入所療養介護費（１日につき）

㈠　ユニット型Ⅱ型介護医療院短期入所療養介護費〈ユニット型個室〉

a　要介護１　**910単位**

b　要介護２　**1,014単位**

c　要介護３　**1,241単位**

d　要介護４　**1,337単位**

e　要介護５　**1,424単位**

㈡　経過的ユニット型Ⅱ型介護医療院短期入所療養介護費〈ユニット型個室的多床室〉

a　要介護１　**910単位**

b　要介護２　**1,014単位**

c　要介護３　**1,241単位**

d　要介護４　**1,337単位**

e　要介護５　**1,424単位**

⑹　ユニット型特別介護医療院短期入所療養介護費（１日につき）

㈠　ユニット型Ⅰ型特別介護医療院短期入所療養介護費

a　ユニット型Ⅰ型特別介護医療院短期入所療養介護費〈ユニット型個室〉

i　要介護１　**859単位**

ii　要介護２　**963単位**

iii　要介護３　**1,193単位**

iv　要介護４　**1,289単位**

v　要介護５　**1,376単位**

b　経過的ユニット型Ⅰ型特別介護医療院短期入所療養介護費〈ユニット型個室的多床室〉

i　要介護１　**859単位**

ii　要介護２　**963単位**

iii　要介護３　**1,193単位**

iv　要介護４　**1,289単位**

v　要介護５　**1,376単位**

㈡ ユニット型Ⅱ型特別介護医療院短期入所療養介護費

a ユニット型Ⅱ型特別介護医療院短期入所療養介護費〈ユニット型個室〉

i 要介護1 **867単位**

ii 要介護2 **966単位**

iii 要介護3 **1,181単位**

iv 要介護4 **1,273単位**

v 要介護5 **1,354単位**

b 経過的ユニット型Ⅱ型特別介護医療院短期入所療養介護費〈ユニット型個室的多床室〉

i 要介護1 **867単位**

ii 要介護2 **966単位**

iii 要介護3 **1,181単位**

iv 要介護4 **1,273単位**

v 要介護5 **1,354単位**

⑺ 特定介護医療院短期入所療養介護〈日帰りショート〉

㈠ 3時間以上4時間未満 **684単位**

㈡ 4時間以上6時間未満 **948単位**

㈢ 6時間以上8時間未満 **1,316単位**

注 1～3 (略)

4 別に厚生労働大臣が定める基準を満たさない場合は、身体拘束廃止未実施減算として、所定単位数の100分の1に相当する単位数を所定単位数から減算する。

5 別に厚生労働大臣が定める基準を満たさない場合は、高齢者虐待防止措置未実施減算として、所定単位数の100分の1に相当する単位数を所定単位数から減算する。

6 別に厚生労働大臣が定める基準を満たさない場合は、業務継続計画未策定減算として、所定単位数の100分の1に相当する単位数を所定単位数から減算する。

7～9 (略)

10 別に厚生労働大臣が定める利用者に対し、居宅サービス計画において計画的に行うこととなっていない指定短期入所療養介護を緊急に行った場合は、緊急短期入所受入加算として、利用を開始した日から起算して7日(利用者の日常生活上の世話を行う家族の疾病等やむを得ない事情がある場合は、14日)を限度として、1日につき90単位を所定単位数に加算する。ただし、注9を算定している場合は、算定しない。

11　別に厚生労働大臣が定める基準に適合しているものとして、電子情報処理組織を使用する方法により、都道府県知事に対し、老健局長が定める様式による届出を行った指定短期入所療養介護事業所において、若年性認知症利用者に対して指定短期入所療養介護を行った場合は、若年性認知症利用者受入加算として、(1)から(6)までについては1日につき120単位を、(7)については1日につき60単位を所定単位数に加算する。ただし、注9を算定している場合は、算定しない。

12・13　(略)

14　指定施設サービス等介護給付費単位数表の規定により、注1及び注8の規定による届出に相当する介護医療院サービス(介護保険法第8条第29項に規定する介護医療院サービスをいう)に係る届出があったときは、注1及び注8の規定による届出があったものとみなす。

15　(略)

16　(3)又は(6)を算定している介護医療院である指定短期入所療養介護事業所については、(13)は算定しない。

(8) 口腔連携強化加算　**50単位**

注　別に厚生労働大臣が定める基準に適合しているものとして、電子情報処理組織を使用する方法により、都道府県知事に対し、老健局長が定める様式による届出を行った指定短期入所療養介護事業所の従業者が、口腔の健康状態の評価を実施した場合において、利用者の同意を得て、歯科医療機関及び介護支援専門員に対し、当該評価の結果の情報提供を行ったときは、口腔連携強化加算として、1月に1回に限り所定単位数を加算する。

(9)～(13)　(略)

(14) 生産性向上推進体制加算

注　別に厚生労働大臣が定める基準に適合しているものとして、電子情報処理理組織を使用する方法により、都道府県知事に対し、老健局長が定める様式による届出を行った指定短期入所療養介護事業所において、利用者に対して指定短期入所療養介護を行った場合は、当該基準に掲げる区分に従い、1月につき次に掲げる所定単位数を加算する。ただし、次に掲げるいずれかの加算を算定している場合においては、次に掲げるその他の加算は算定しない。

(一) 生産性向上推進体制加算(I)　**100単位**

(二) 生産性向上推進体制加算(II)　**10単位**

(15)　(略)

(16) 介護職員等処遇改善加算

注　別に厚生労働大臣が定める基準に適合している介護職員の賃金の改善等を実施しているものとして、電子情報処理組織を使用する方法により、都道府県知事に対し、老健局長が定める様式による届出を行った指定短期入所療養介護事業所が、利用者に対して指定短期入所療養介護を行った場合は、当該基準に掲げる区分に従い、次に掲げる単位数を所定単位数に加算する。ただし、次に掲げるいずれかの加算を算定している場合においては、次に掲げるその他の加算は算定しない。

(一) 介護職員等処遇改善加算(I)　(1)から(15)までにより算定した単位数の1000分の51に相当する単位数

(二) 介護職員等処遇改善加算(II)　(1)から(15)までにより算定した単位数の1000分の47に相当する単位数

(三) 介護職員等処遇改善加算(III)　(1)から(15)までにより算定した単位数の1000分の36に相当する単位数

(四) 介護職員等処遇改善加算(IV)　(1)から(15)までにより算定した単位数の1000分の29に相当する単位数

2　(略)

10　特定施設入居者生活介護費

イ　特定施設入居者生活介護費（1日につき）

(1)　要介護1　**542単位**

(2)　要介護2　**609単位**

(3)　要介護3　**679単位**

⑷　要介護４　**744単位**

⑸　要介護５　**813単位**

ロ　外部サービス利用型特定施設入居者生活介護費（１月につき）

ハ　短期利用特定施設入居者生活介護費（１日につき）

⑴　要介護１　**542単位**

⑵　要介護２　**609単位**

⑶　要介護３　**679単位**

⑷　要介護４　**744単位**

⑸　要介護５　**813単位**

注　１〜３　(略)

４　別に厚生労働大臣が定める基準を満たさない場合は、身体拘束廃止未実施減算として、イについては所定単位数の100分の10に相当する単位数を、ロ及びハについては所定単位数の100分の１に相当する単位数を所定単位数から減算する。

５　別に厚生労働大臣が定める基準を満たさない場合は、高齢者虐待防止措置未実施減算として、所定単位数の100分の１に相当する単位数を所定単位数から減算する。

６　別に厚生労働大臣が定める基準を満たさない場合は、業務継続計画未策定減算として、所定単位数の100分の3に相当する単位数を所定単位数から減算する。

７　イについて、別に厚生労働大臣が定める基準に適合しているものとして、電子情報処理組織を使用する方法により、都道府県知事に対し、老健局長が定める様式による届出を行った指定特定施設において、利用者に対して、指定特定施設入居者生活介護を行った場合は、当該基準に掲げる区分に従い、１日につき次に掲げる所定単位数を加算する。ただし、ルを算定している場合においては、算定しない。また、次に掲げるいずれかの加算を算定している場合においては、次に掲げるその他の加算は算定しない。

(1)・(2)（略)

８　イについて、別に厚生労働大臣が定める基準に適合しているものとして、電子情報処理組織を使用する方法により、都道府県知事に対し、老健局長が定める様式による届出を行った指定特定施設において、外部との連携により、利用者の身体の状況等の評価を行い、かつ、個別機能訓練計画を作成した場合には、当該基準に掲げる区分に従い、(1)については、利用者の急性増悪等により当該個別機能訓練計画を見直した場合を除き３月に１回を限度として、1月につき、(2)については１月につき、次に掲げる単位数を所定単位数に加算する。ただし、次に掲げるいずれかの加算を算定している場合においては、次に掲げるその他の加算は算定しない。また、注９を算定している場合、(1)は算定せず、(2)は1月につき100単位を所定単位数に加算する。

(1)・(2)　　(略)

９・10　　(略)

11　イ及びハについて、別に厚生労働大臣が定める施設基準に適合するものとして、電子情報処理組織を使用する方法により、都道府県知事に対し、老健局長が定める様式による届出を行った指定特定施設において、利用者に対して、指定特定施設入居者生活介護を行った場合は、当該基準に掲げる区分に従い、1日につき次に掲げる単位数を所定単位数に加算する。ただし、次に掲げるいずれかの加算を算定している場合においては、次に掲げるその他の加算は算定しない。

(1) 夜間看護体制加算(I)　　**18単位**

(2) 夜間看護体制加算(II)　　**9単位**

12　　(略)

13　イ及びロについて、指定特定施設において、協力医療機関(指定居宅サービス基準第191条第1項(指定居宅サービス基準第192条の12において準用する場合を含む)に規定する協力医療機関をいう)との間で、利用者の同意を得て、当該利用者の病歴等の情報を共有する会議を定期的に開催している場合は、協力医療機関連携加算として、次に掲ける区分に応じ、1月につき次に掲げる単位数を所定単位数に加算する。

(1) 当該協力医療機関が、指定居宅サービス基準第191条第2項各号に掲げる要件を満たしている場合　　**100単位**

(2) (1)以外の場合　　**40単位**

（削る）

14・15　(略)
ニ　(略)
ホ　退居時情報提供加算
注　イについて、利用者が退居し、医療機関に入院する場合において、当該医療機関に対して、当該利用者の同意を得て、当該利用者の心身の状況、生活歴等の情報を提供した上で、当該利用者の紹介を行った場合に、利用者1人につき1回に限り算定する。
へ・ト　(略)
チ　高齢者施設等感染対策向上加算
注　別に厚生労働大臣が定める基準に適合しているものとして、電子情報処理組織を使用する方法により、都道府県知事に対し、老健局長が定める様式による届出を行った指定特定施設が、利用者に対して指定特定施設入居者生活介護を行った場合は、当該基準に掲げる区分に従い、1月につき次に掲げる単位数を所定単位数に加算する。
(1) 高齢者施設等感染対策向上加算(I)　**10単位**
(2) 高齢者施設等感染対策向上加算(II)　**5単位**
リ　新興感染症等施設療養費(1日につき)　**240単位**
注　指定特定施設が、利用者が別に厚生労働大臣が定める感染症に感染した場合に相談対応、診療、入院調整等を行う医療機関を確保し、かつ、当該感染症に感染した利用者に対し、適切な感染対策を行った上で、指定特定施設入居者生活介護を行った場合に、1月に1回、連続する5日を限度として算定する。
ヌ　生産性向上推進体制加算
注　イ及びハについて、別に厚生労働大臣が定める基準に適合しているものとして、電子情報処理組織を使用する方法により、都道府県知事に対し、老健局長が定める様式による届出を行った指定特定施設において、利用者に対して指定特定施設入居者生活介護を行った場合は、当該基準に掲げる区分に従い、1月につき次に掲げる所定単位数を加算する。ただし、次に掲げるいずれかの加算を算定している場合においては、次に掲げるその他の加算は算定しない。
(1) 生産性向上推進体制加算(I)　**100単位**
(2) 生産性向上推進体制加算(II)　**10単位**

ル　(略)

ヲ　介護職員等処遇改善加算

注　別に厚生労働大臣が定める基準に適合している介護職員の賃金の改善等を実施しているものとして、電子情報処理組織を使用する方法により、都道府県知事に対し、老健局長が定める様式による届出を行った指定特定施設が、利用者に対し、指定特定施設入居者生活介護を行った場合は、当該基準に掲げる区分に従い、次に掲げる単位数を所定単位数に加算する。ただし、次に掲げるいずれ かの加算を算定している場合においては、次に掲げるその他の加算は算定しない。

(1) 介護職員等処遇改善加算(I)　イからルまでにより算定した単位数の1000分の128に相当する単位数

(2) 介護職員等処遇改善加算(II)　イからルまでにより算定した単位数の1000分の122に相当する単位数

(3) 介護職員等処遇改善加算(III)　イからルまでにより算定した単位数の1000分の110に相当する単位数

(4) 介護職員等処遇改善加算(Ⅳ)　イからルまでにより算定した単位数の1000分の88に相当する単位数

2　(略)

第5章

練習問題に挑戦してみよう!

【介護の基礎知識&介護報酬明細書の作成編】

【介護事務の練習問題・その１】

問1　次の文章のうち正しいものはどれですか。

※答えはa～eの中から選んでください。

※解答は、159ページを参照してください。

（1）介護保険の費用は原則として介護サービスを受けた利用者がその１割～２割を負担する。

（2）介護保険制度は1997年より施行されている。

（3）第２号被保険者は、脊柱管狭窄症等の特定の疾患に起因して介護が必要になった場合に限り、介護サービスを受けることができる。

（4）介護保険制度は、原則として窓口負担なしで実施してきた老人医療制度の一部を介護保険制度に移行させたものである。

a　（1）（2）　b　（2）（3）　c　（1）（3）

d　（2）（4）　e　（3）（4）

問2　次の文章のうち正しいものはどれですか。

（1）介護予備軍である要支援者においても予防給付としてサービスが設けられている。

（2）施設サービスにおいても介護予防サービスが設定されている。

（3）地域密着型通所介護における1級地の1単位あたりの単価は10.90円である。

（4）介護療養型医療施設については、2025年3月末に廃止期限が延長されている。

a　（1）（2）　b　（2）（3）　c　（1）（3）
d　（2）（4）　e　（3）（4）

問3　次の文章のうち正しいものはどれですか。

（1）介護保険に設けられていない医師の訪問診療や医療処置などは、医療保険にて請求する。

（2）施設サービスや短期入所サービスなど施設に関わるサービスを利用した場合は、1割～3割負担以外に食費・室料・光熱水費が自己負担となる。

（3）介護報酬の請求は、保険者である市町村・広域連合の委託を受けた支払基金に対して行う。

（4）利用者負担の支払いを受けた場合は、必要に応じて、個別のサービス費用ごとに区分して記載した領収書を交付しなければならない。

a　（1）（2）　b　（2）（3）　c　（1）（3）
d　（2）（4）　e　（3）（4）

問4　次の文章のうち正しいものはどれですか。

（1）介護保険の請求において月遅れ請求の時効は3年間である。

（2）介護給付費審査委員会で審査を担当する審査委員の任期は3年である。

（3）一人の利用者の明細書が同一サービス提供月で重複している場合、返戻の扱いとなり、事業所に請求書等を差し戻す。

（4）複数の公費負担制度に該当している場合は、適用の優先順位に基づいて適用する。

a　（1）（2）　b　（2）（3）　c　（1）（3）

d　（2）（4）　e　（3）（4）

問5　次の文章のうち正しいものはどれですか。

（1）介護報酬によるものと総合事業によるものを一体的に提供している場合、計画書や実績報告書は各1枚で提出して差し支えない。

（2）訪問看護計画書等は2年間保存しなければならない。

（3）身体介護とは、掃除、洗濯、調理などの日常生活の援助であり、利用者が単身、家族が障害・疾病などのため本人や家族が家事をおこなうことが困難な場合に行われるものをいう。

（4）水、エア、ゲル、シリコン、ウレタン等からなる全身用のマットであって、体圧を分散することにより、圧迫部位への圧力を減ずることを目的として作成された体位変換機は介護保険の給付対象となる福祉用具である。

a　（1）（2）　b　（2）（3）　c　（1）（3）

d　（2）（4）　e　（3）（4）

問6　次の文章のうち正しいものはどれですか。

（1）外泊時の費用を算出した日については、施設サービス費に係る加算・減算項目、特定診療費などは算定することができない。

（2）介護保険における摂食機能療法は医師以外の場合は算定することができず、看護師、理学療法士等が実施した場合は、医療保険において算定する。

（3）特別療養費に係る感染対策指導管理の基準には、MRSA等の感染を防止するにつき十分な設備を有し、体制が整備されていることとされている。

（4）連携型定期巡回・随時対応サービス事業所と同一法人が運営する訪問看護事業所と連携することはいかなる場合においても認められない。

a　（1）（2）　b　（2）（3）　c　（1）（3）

d　（2）（4）　e　（3）（4）

問7　次の文章のうち正しいものはどれですか。

（1）介護保険適用病床に入院している患者に対し歯科療養を行った場合についての当該療養に係る給付については介護保険から行う。

（2）介護老人保健施設において薬剤管理指導をするにあたっては、医薬品情報管理室を設置する必要があるが、併設医療機関との兼用は認められない。

（3）入院に伴い一旦施設を退所した者が、退院後に再入所した場合は、日常生活継続支援加算の算定要件における新規入所者に含めることができない。

（4）日常生活継続支援加算におけるたんの吸引等の行為を必要とする者とは、医師の指示を受けて介護老人福祉施設の看護職員や介護職員が行っている者をいう。

a　（1）（2）　b　（2）（3）　c　（1）（3）

d　（2）（4）　e　（3）（4）

問8　次の文章のうち正しいものはどれですか。

（1）デイサービスやショートステイの利用者が弁当を持参するため、受け入れを拒むことはサービス提供事業所の判断に委ねられている。

（2）通所リハビリテーションにおける若年性認知症利用者受入加算を算定できるのは、40歳以上65歳未満の若年性認知症の者である。

（3）指定居宅介護支援事業所は、正当な理由なくサービス提供を拒否できないと定められているが、ここでいう正当な理由には、当該事業所の現員からは利用申し込みに応じきれない場合などが該当する。

（4）通所サービスのサービス提供時間における併設医療機関の受診は原則として認められる。

a　（1）（2）　b　（2）（3）　c　（1）（3）
d　（2）（4）　e　（3）（4）

問9　次の文章のうち正しいものはどれですか。

（1）患者の生活機能の改善等を目的とする理学療法、作業療法、言語聴覚療法等により構成され、いずれも実用的な日常生活における諸活動の自立性の向上を目的として行われるのがリハビリテーションである。

（2）医療保険適用病床入院からの外泊中に、介護保険の給付対象である訪問通所サービスの利用は介護保険において算定することはできない。

（3）指定訪問看護ステーションの理学療法士が訪問看護を行った場合、回数にかかわらず所定単位の90/100にて算定する。

（4）訪問介護費における夜間とは午後7時から午後10時までの時間をいう。

a　（1）（2）　b　（2）（3）　c　（1）（3）
d　（2）（4）　e　（3）（4）

問10　次の文章のうち正しいものはどれですか。

（1）血清アルブミン値が3.5g/dL以下である者、BMIが18.5未満の者は通所介護費における栄養改善サービスの提供が必要な者である。

（2）病院又は診療所における短期入所療養介護に係る居宅サービス介護給付費明細書は、様式第五を使用する。

（3）短期入所療養介護費における重度療養管理加算は、要介護3～5の者であって、常時低血圧等厚生労働大臣の定める状態にある利用者において算定することができる。

（4）認知症ケア加算を算定している介護老人保健施設の場合、夜勤職員配置加算の基準は、認知症専門棟とそれ以外の部分のいずれかにおいて満たさなければならない。

a　（1）（2）　b　（2）（3）　c　（1）（3）
d　（2）（4）　e　（3）（4）

【練習問題・その1の解答】

問1	問2	問3	問4	問5
e	c	a	e	a
問6	問7	問8	問9	問10
c	e	b	a	a

【介護事務の練習問題・その2】

問1　次の文章のうち正しいものはどれですか。

※答えは、下のa～eの中から選んでください。

※解答は、165ページを参照してください。

（1）要介護2で利用できる1か月あたりの単位数は16,765単位である。

（2）介護報酬は3年に1回改定される。

（3）京都府京都市は4級地である。

（4）福祉用具貸与は全国統一で1単位当たり10円である。

a　（1）（2）　b　（2）（3）　c　（1）（3）

d　（2）（4）　e　（3）（4）

問2　次の文章のうち正しいものはどれですか。

（1）介護保険における施設サービスの財源は、公費50%、保険料50%で構成されている。

（2）居宅療養管理指導は区分支給限度基準額の対象にならないサービスである。

（3）高血圧症は特定疾病に該当し、当該疾患が原因で介護が必要になった第2号被保険者は介護サービスを受けることができる。

（4）介護サービスの利用計画は、原則本人以外は作成することができない。

a　（1）（2）　b　（2）（3）　c　（1）（3）

d　（2）（4）　e　（3）（4）

問3　次の文章のうち正しいものはどれですか。

（1）ケアプランについては10割を社会保険診療報酬支払基金に請求する。

（2）利用者負担の支払いを受けた場合、領収書の交付をしなければならないとされているが、領収書の記載事項に関する規定は定められておらず合計金額が記載されていれば差し支えない。

（3）介護報酬は原則として伝送又は磁気媒体による請求方法で行われている。

（4）介護保険給付対象の利用料は、1円単位で徴収する。

a　（1）（2）　b　（2）（3）　c　（1）（3）
d　（2）（4）　e　（3）（4）

問4　次の文章のうち正しいものはどれですか。

（1）介護給付費の請求は原則電子請求により行われるが、伝送であれば到着は休日を除く9時から23時とされている。

（2）介護給付費の請求はサービス提供月の翌月10日までに提出しなければならないが、提出できなかった給付費については月遅れ請求として翌々月以降に請求することができる。

（3）生活保護法の適用を受けている者が、介護が必要になった場合は資格証明書として介護券が発行される。

（4）原爆被爆者援護法において被爆者手帳を有している場合の利用者負担は、5%である。

a　（1）（2）　b　（2）（3）　c　（1）（3）
d　（2）（4）　e　（3）（4）

問5　次の文章のうち正しいものはどれですか。

（1）介護報酬の請求はサービス提供月の翌月10日までに国保連合会に提出し、サービス提供月の翌月末にサービス提供事業所等に対して支払いが行われる。

（2）国保連合会ではサービス事業所から提出された請求書に対して点検を行うが、不備があった場合は、返戻として事業所に差し戻すことがある。

（3）福祉用具貸与における特別搬入費は保険外徴収が認められている。

（4）介護保険法が成立したのは、2000年である。

a　（1）（2）　b　（2）（3）　c　（1）（3）
d　（2）（4）　e　（3）（4）

問6　次の文章のうち正しいものはどれですか。

（1）介護保険制度下において作成される契約書は原則として印紙税の課税文書には該当しない。

（2）被保険者証の他に、負担割合証等についても本人からの申し出があれば、同様に取り扱いをしても差し支えない。

（3）介護保健施設の入所者が外泊時に利用した居宅サービスについても介護保険において請求することが認められている。

（4）要介護認定申請と同時にサービスを利用するために暫定ケアプランを作成してサービスを提供した場合において、月末までに認定結果が通知されなかった場合は、暫定的な請求として翌月10日までに請求書を提出する。

a　（1）（2）　b　（2）（3）　c　（1）（3）
d　（2）（4）　e　（3）（4）

問7　次の文章のうち正しいものはどれですか。

（1）訪問介護を1日に複数回算定する場合において、算定する時間の間隔は概ね1時間以上とされている。

（2）訪問介護において行われる身体介護に対してのみ割引を適用することは可能である。

（3）利用者が末期がん患者の場合における訪問看護は、全て医療保険で算定するため介護保険では請求することができない。

（4）医療保険における訪問看護とは取り扱いが異なり、介護保険における訪問看護を2か所の訪問看護ステーションから提供されている場合は、共に請求が認められる。

a　（1）（2）　b　（2）（3）　c　（1）（3）
d　（2）（4）　e　（3）（4）

問8　次の文章のうち正しいものはどれですか。

（1）通所介護において事業所職員が迎えに行ったが、利用者の突然の体調不良で参加できなかった場合においても、ケアプランに計画されている内容であるため参加したものとして請求が認められる。

（2）デイサービスにおいて弁当を持参する利用者については、介護サービスの提供を困難にするなど正当な理由に該当すると考えられるため、サービスの利用を断ることができる。

（3）利用者が複数の通所介護事業所を利用することは、介護保険で認められている。

（4）膝が十分に曲がらない又は便座から立ち上がるのがきつい場合に、便座の高さを変更する目的のため、新しい洋式便器に取り換えた場合は、住宅改修の支給対象として差し支えない。

a　（1）（2）　b　（2）（3）　c　（1）（3）
d　（2）（4）　e　（3）（4）

問9　次の文章のうち正しいものはどれですか。

（1）施設サービスにおいて多床室から従来型個室等に部屋替えした場合の当日の介護報酬は、部屋替えした日以降に利用する部屋の報酬で算定する。

（2）クックサーブによる食事の提供は適温の食事の提供には該当しない。

（3）窓のない居室は準個室として認められない。

（4）介護老人保健施設において月の末日に入院した場合の感染対策指導管理の算定は、翌月の1日から算定することが認められる。

a　（1）（2）　b　（2）（3）　c　（1）（3）
d　（2）（4）　e　（3）（4）

問10　次の文章のうち正しいものはどれですか。

（1）認知症対応型共同生活介護の報酬にはホテルコストは含まれていないため、家賃・敷金・礼金・共益費といった費用は利用者の負担とすることが認められている。

（2）複合型サービス費におけるターミナルケア加算は、ターミナルケアを行ってから24時間以内に死亡が確認される場合に算定することができる。

（3）特別養護老人ホームにおいて医師の配置は2名以上と定められている。

（4）介護医療院は、法人格があれば保険医療機関以外でも設立することが可能である。

a　（1）（2）　b　（2）（3）　c　（1）（3）
d　（2）（4）　e　（3）（4）

【練習問題・その2の解答】

問1	問2	問3	問4	問5
d	a	e	b	b
問6	問7	問8	問9	問10
a	e	e	c	a

【介護報酬請求事務の実技問題】

問１　次の条件とサービス提供票をもとに、令和６年４月分の介護レセプトを作成しなさい。

※解答、解説は171～175ページを参照してください。

○利用者

氏名	山本　健治　（ヤマモト　ケンジ）
性別	男
生年月日	昭和13年6月13日
被保険者番号	1003568599
給付率	9割
要介護	4
認定有効期間	令和６年６月1日～令和７年５月31日
保険者番号	131011
保険者名	東京都千代田区（1級地）

○居宅介護支援事業所

事業所名称	JM訪問介護センター
事業所番号	1344219302
担当者	長谷部　康子

※ 各サービスは令和６年６月より開始されている。

○請求事業所

1.ひまわり訪問福祉事業所　　事業所番号　1328668798
（1級地）　所在地：省略　　連絡先：省略

※特定事業所加算（Ⅰ）届出

2.かがやき訪問看護ステーション　　　事業所番号　1336568125
（1級地）　所在地：省略　　連絡先：省略
※看護・介護職員連携強化加算
※サービス提供体制強化加算（Ⅰ）届出

3.ひかり療養病院　　　事業所番号　1362580318
（2級地）　所在地：省略　　連絡先：省略
※送迎加算
※サービス提供体制強化加算（Ⅲ）届出
※介護職員等処遇改善加算（Ⅰ）届出
※令和6年8月20日から入所、8月30日退所
※利用者負担段階：第2段階

【サービス提供票】

認定済・申請中	令和６年８月分　サービス提供票	居宅介護支援事業者→サービス事業者

保険者番号	1 3 1 0 1 1	保険者名	東京都千代田区	居宅介護支援事業者氏名担当者名	JM訪問介護センター　長谷部　廉子	作成年月日	令和 6年　7月　25日
被保険者番号	1 0 0 3 5 6 8 5 9 9	フリガナ 被保険者氏名	ヤマモト　ケンジ 山本　健治	保険者確認印		届出年月日	令和　年　月　日
生年月日	明・大・昭（昭に○） 13年6月13日	性別	男（○）・女	要介護状態区分	要介護4	区分支給限度基準額	30,938 単位/月
				変更後要介護状態区分変更日	要介護 1 2 3 4 5 令和　年　月　日	限度額適用期間	令和6年6年1日から 令和7年5年31日まで
						前月までの短期入所利用日数	日

提供時間帯	サービス内容	サービス事業者事業所名	日付	1	2	3	4	5	6	7	8	9	10	11	12	13	14	15	16	17	18	19	20	21	22	23	24	25	26	27	28	29	30	31	合計
			曜日	木	金	土	日	月	火	水	木	金	土	日	月	火	水	木	金	土	日	月	火	水	木	金	土	日	月	火	水	木	金	土	回数
10:30〜12:00	身体3・2人・Ⅰ	ひまわり訪問福祉事業所	予定		1			1		1		1			1		1		1			1													8
			実績		1			1		1		1			1		1		1			1													8
14:00〜14:30	訪看Ⅰ2	かがやき訪問看護ステーション	予定						1							1																			2
			実績						1							1																			2
14:00〜14:30	訪問看護介護連携強化加算	かがやき訪問看護ステーション	予定						1																										1
			実績						1																										1
	病院療養短期Ⅰi4	ひかり療養病院	予定																				1	1	1	1	1	1	1	1	1	1	1		11
			実績																				1	1	1	1	1	1	1	1	1	1	1		11
	病院療養短期送迎加算	ひかり療養病院	予定																				1										1		2
			実績																				1										1		2
			予定																																
			実績																																
			予定																																
			実績																																
			予定																																
			実績																																
			予定																																
			実績																																
			予定																																
			実績																																
			予定																																
			実績																																
			予定																																
			実績																																
			予定																																
			実績																																

【解答用介護給付費明細書（様式第二）】 ※コピーしてお使いください。

様式第二（附則第二条関係）

居宅サービス・地域密着型サービス介護給付費明細書
（訪問介護・訪問入浴介護・訪問看護・訪問リハ・居宅療養管理指導・通所介護・通所リハ・福祉用具貸与・定期巡回・随時対応型訪問介護看護・
夜間対応型訪問介護・地域密着型通所介護・認知症対応型通所介護・小規模多機能型居宅介護(短期利用以外)・小規模多機能型居宅介護(短期利用)・
複合型サービス(看護小規模多機能型居宅介護・短期利用以外)・複合型サービス(看護小規模多機能型居宅介護・短期利用)）

公費負担者番号	
公費受給者番号	

令和	年	月分
保険者番号		

被保険者		
	被保険者番号	
	(ﾌﾘｶﾞﾅ)	
	氏名	
	生年月日	1. 明治 2. 大正 3. 昭和 年 月 日 ／ 性別 1. 男 2. 女
	要介護状態区分	要介護1・2・3・4・5
	認定有効期間	1.平成 2.令和 年 月 日から ／ 令和 年 月 日まで

請求事業者		
	事業所番号	
	事業所名称	
	所在地	〒 −
	連絡先	電話番号

居宅サービス計画	1. 居宅介護支援事業者作成 2. 被保険者自己作成
	事業所番号 ／ 事業所名称

開始年月日	1.平成 2.令和 年 月 日	中止年月日	令和 年 月 日

中止理由	1. 非該当 3. 医療機関入院 4. 死亡 5. その他 6. 介護老人福祉施設入所 7. 介護老人保健施設入所 9. 介護医療院入所

給付費明細欄	サービス内容	サービスコード	単位数	回数	サービス単位数	公費分回数	公費対象単位数	摘要

給付費明細欄（住所地特例対象者）	サービス内容	サービスコード	単位数	回数	サービス単位数	公費分回数	公費対象単位数	施設所在保険者番号	摘要

請求額集計欄						
	①サービス種類コード／②名称					
	③サービス実日数	日	日	日	日	
	④計画単位数					
	⑤限度額管理対象単位数					
	⑥限度額管理対象外単位数					給付率（/100）
	⑦給付単位数（④⑤のうち少ない数）＋⑥					保険
	⑧公費分単位数					公費
	⑨単位数単価	▲ 円/単位	▲ 円/単位	▲ 円/単位	▲ 円/単位	合計
	⑩保険請求額					
	⑪利用者負担額					
	⑫公費請求額					
	⑬公費分本人負担					

社会福祉法人等による軽減欄	軽減率 ▲ %	受領すべき利用者負担の総額（円）	軽減額（円）	軽減後利用者負担額（円）	備考

枚中 枚目

【解答用介護給付費明細書（様式第五）】 ※コピーしてお使いください。

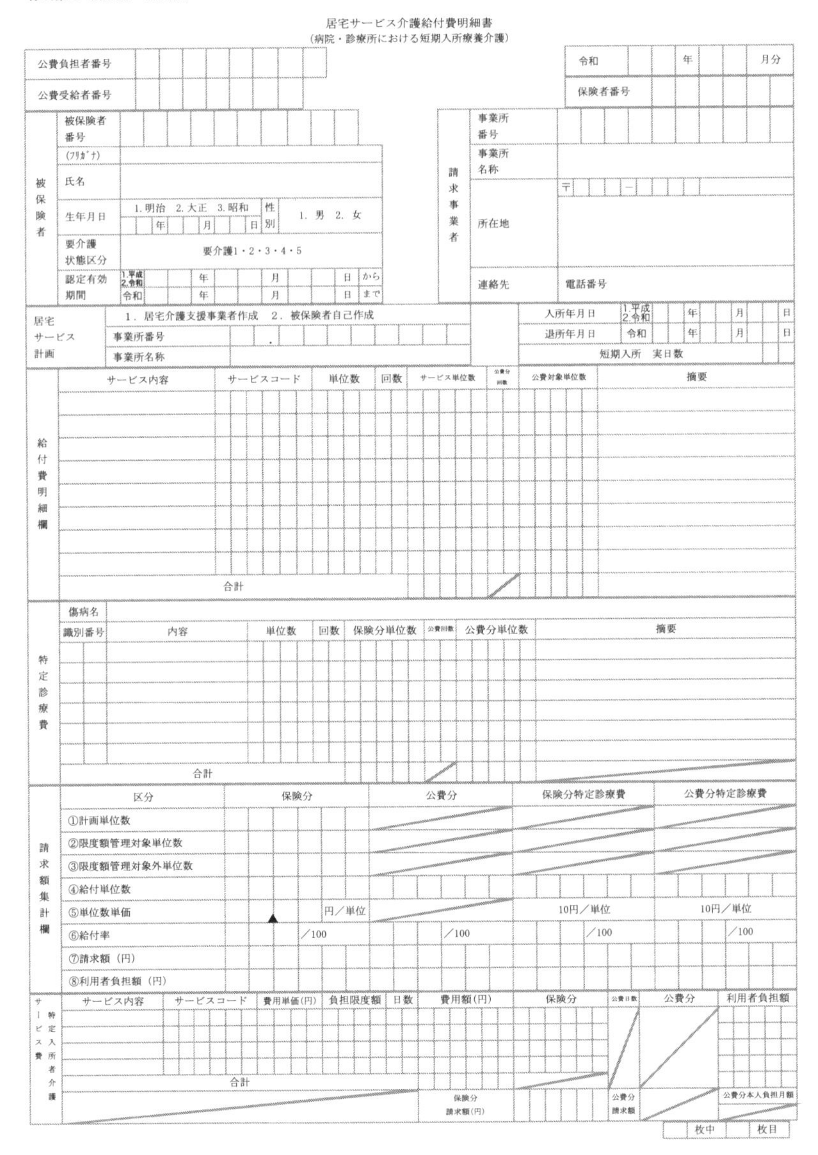

様式第五（附則第二条関係）

居宅サービス介護給付費明細書
（病院・診療所における短期入所療養介護）

公費負担者番号
公費受給者番号

令和　年　月分
保険者番号

被保険者
- 被保険者番号
- (ﾌﾘｶﾞﾅ)
- 氏名
- 生年月日　1. 明治　2. 大正　3. 昭和　年　月　日
- 性別　1. 男　2. 女
- 要介護状態区分　要介護1・2・3・4・5
- 認定有効期間　1.平成 2.令和　年　月　日から　令和　年　月　日まで

請求事業者
- 事業所番号
- 事業所名称
- 所在地　〒　－
- 連絡先　電話番号

居宅サービス計画
- 1．居宅介護支援事業者作成　2．被保険者自己作成
- 事業所番号
- 事業所名称

入所年月日　1.平成 2.令和　年　月　日
退所年月日　令和　年　月　日
短期入所　実日数

給付費明細欄

サービス内容	サービスコード	単位数	回数	サービス単位数	公費分回数	公費対象単位数	摘要
合計							

特定診療費

傷病名

識別番号	内容	単位数	回数	保険分単位数	公費回数	公費分単位数	摘要
	合計						

請求額集計欄

区分	保険分	公費分	保険分特定診療費	公費分特定診療費
①計画単位数				
②限度額管理対象単位数				
③限度額管理対象外単位数				
④給付単位数				
⑤単位数単価	▲　円／単位		10円／単位	10円／単位
⑥給付率	／100	／100	／100	／100
⑦請求額（円）				
⑧利用者負担額（円）				

特定入所者介護サービス費

サービス内容	サービスコード	費用単価(円)	負担限度額	日数	費用額(円)	保険分	公費日数	公費分	利用者負担額
合計									
					保険分請求額(円)		公費分請求額		公費分本人負担月額

枚中　枚目

【実技・解答　請求事業者：ひまわり訪問福祉事業所】

様式第二（附則第二条関係）

居宅サービス・地域密着型サービス介護給付費明細書
（訪問介護・訪問入浴介護・訪問看護・訪問リハ・居宅療養管理指導・通所介護・通所リハ・福祉用具貸与・定期巡回・随時対応型訪問介護看護・夜間対応型訪問介護・地域密着型通所介護・認知症対応型通所介護・小規模多機能型居宅介護（短期利用以外）・小規模多機能型居宅介護（短期利用）・複合型サービス（看護小規模多機能型居宅介護・短期利用以外）・複合型サービス（看護小規模多機能型居宅介護・短期利用））

公費負担者番号	
公費受給者番号	
令和	06年08月分
保険者番号	131011

被保険者	
被保険者番号	1003568599
(ﾌﾘｶﾞﾅ)	ヤマモト　ケンジ
氏名	山本　健治
生年月日	1.明治　2.大正　(3.)昭和　13年06月13日
性別	(1.)男　2.女
要介護状態区分	要介護1・2・3・(4)・5
認定有効期間	1.平成 (2.)令和 06年06月01日から　令和07年05月31日まで

請求事業者	
事業所番号	1328668798
事業所名称	ひまわり訪問福祉事業所
所在地	〒　省略
連絡先	電話番号　省略

居宅サービス計画	
	(1.) 居宅介護支援事業者作成　2．被保険者自己作成
事業所番号	1344219302
事業所名称	ＪＭ訪問介護センター

開始年月日	1.平成 2.令和　年　月　日	中止年月日	令和　年　月　日

中止理由：1.非該当　3.医療機関入院　4.死亡　5.その他　6.介護老人福祉施設入所　7.介護老人保健施設入所　9.介護医療院入所

給付費明細欄

サービス内容	サービスコード	単位数	回数	サービス単位数	公費分回数	公費対象単位数	摘要
身体3・2人・I	112100	1361	8	10888			

給付費明細欄（住所地特例対象者）

サービス内容	サービスコード	単位数	回数	サービス単位数	公費分回数	公費対象単位数	施設所在保険者番号	摘要

請求額集計欄

①サービス種類コード／②名称	11 訪問介護			
③サービス実日数	8日	日	日	日
④計画単位数	10888			
⑤限度額管理対象単位数	10888			
⑥限度額管理対象外単位数				
⑦給付単位数（④⑤のうち少ない数）＋⑥	10888			
⑧公費分単位数				
⑨単位数単価	11.40円/単位	円/単位	円/単位	円/単位
⑩保険請求額	111710			
⑪利用者負担額	12413			
⑫公費請求額				
⑬公費分本人負担				

給付率（/100）	
保険	90
公費	
合計（⑩保険請求額）	111711
合計（⑪利用者負担額）	12412

社会福祉法人等による軽減欄	軽減率	受領すべき利用者負担の総額（円）	軽減額（円）	軽減後利用者負担額（円）	備考
	．　％				

枚中　枚目

【実技・解答　請求事業者：かがやき訪問看護ステーション】

様式第二（附則第二条関係）

居宅サービス・地域密着型サービス介護給付費明細書

（訪問介護・訪問入浴介護・訪問看護・訪問リハ・居宅療養管理指導・通所介護・通所リハ・福祉用具貸与・定期巡回・随時対応型訪問介護看護・夜間対応型訪問介護・地域密着型通所介護・認知症対応型通所介護・小規模多機能型居宅介護（短期利用以外）・小規模多機能型居宅介護（短期利用）・複合型サービス（看護小規模多機能型居宅介護・短期利用以外）・複合型サービス（看護小規模多機能型居宅介護・短期利用））

公費負担者番号	
公費受給者番号	
令和	06 年 08 月分
保険者番号	131011

被保険者	
被保険者番号	1003568599
(フリガナ)	ヤマモト　ケンジ
氏名	山本　健治
生年月日	1. 明治　2. 大正　③昭和　13 年 06 月 13 日
性別	①男　2. 女
要介護状態区分	要介護1・2・3・④・5
認定有効期間	1. 平成 ②令和 06 年 06 月 01 日から　令和 07 年 05 月 31 日まで

請求事業者	
事業所番号	1336568125
事業所名称	かがやき訪問看護ステーション
所在地	〒　－　省略
連絡先	電話番号　省略

居宅サービス計画	①居宅介護支援事業者作成　2. 被保険者自己作成
事業所番号	1344219302
事業所名称	ＪＭ訪問介護センター
開始年月日	1. 平成 2. 令和　年　月　日
中止年月日	令和　年　月　日
中止理由	1. 非該当　3. 医療機関入院　4. 死亡　5. その他　6. 介護老人福祉施設入所　7. 介護老人保健施設入所　9. 介護療養型医療施設入院　9. 介護医療院入所

給付費明細欄

サービス内容	サービスコード	単位数	回数	サービス単位数	公費分回数	公費対象単位数	摘要
訪看Ⅰ2	131111	471	2	942			
訪問看護介護連携強化加算	134004	250	1	250			
訪問看護サービス提供体制加算Ⅰ1	136103	6	2	12			

給付費明細欄（住所地特例対象者）

サービス内容	サービスコード	単位数	回数	サービス単位数	公費分回数	公費対象単位数	施設所在保険者番号	摘要

請求額集計欄

項目					合計
①サービス種類コード／②名称	13 訪問看護				
③サービス実日数	2 日	日	日	日	
④計画単位数	1192				
⑤限度額管理対象単位数	1192				
⑥限度額管理対象外単位数	12				
⑦給付単位数（④⑤のうち少ない数）＋⑥	1204				
⑧公費分単位数					
⑨単位数単価	11▲40 円/単位	▲ 円/単位	▲ 円/単位	▲ 円/単位	
⑩保険請求額	12352				12352
⑪利用者負担額	1373				1373
⑫公費請求額					
⑬公費分本人負担					

給付率（/100）　保険 90　公費

社会福祉法人等による軽減欄	軽減率	受領すべき利用者負担の総額（円）	軽減額（円）	軽減後利用者負担額（円）	備考
	▲ ％				

枚中　枚目

【実技・解答　請求事業者：ひかり療養病院】

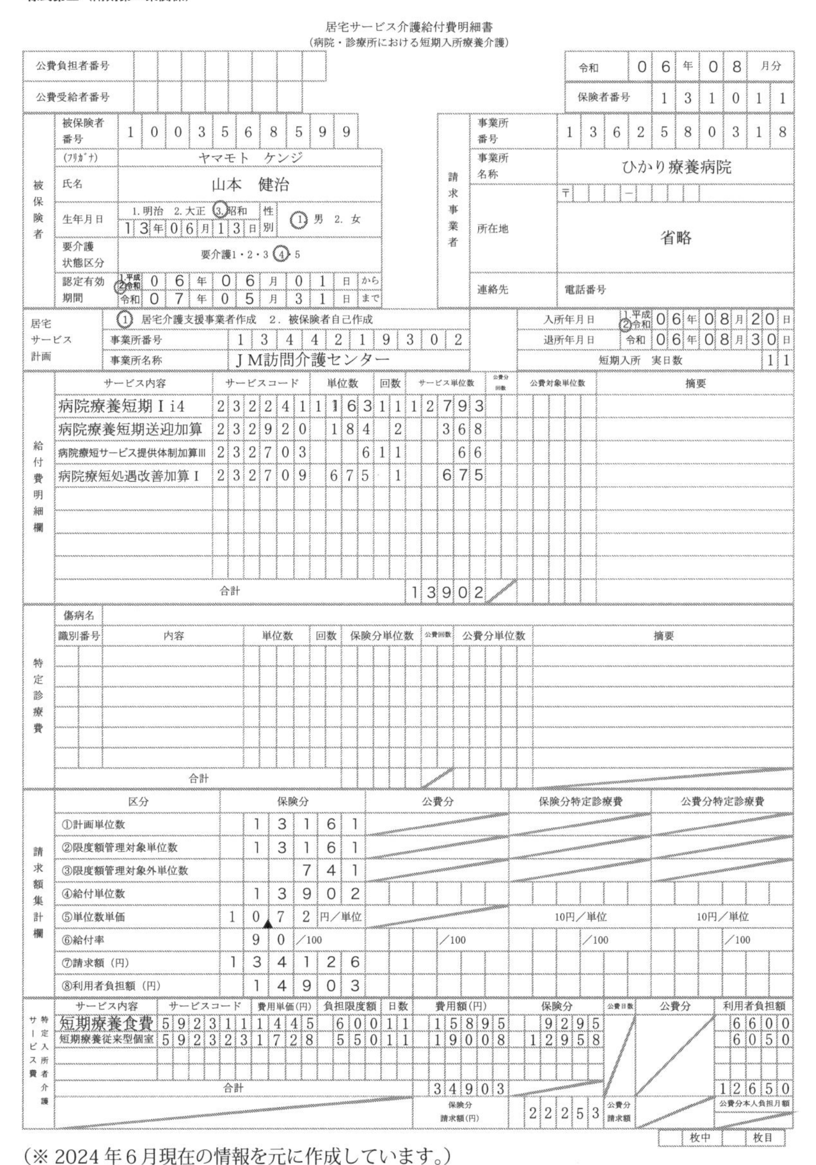

様式第五（附則第二条関係）

居宅サービス介護給付費明細書
（病院・診療所における短期入所療養介護）

公費負担者番号	
公費受給者番号	

令和	06 年 08 月分
保険者番号	131011

被保険者

被保険者番号	1003568599
(ﾌﾘｶﾞﾅ)	ヤマモト　ケンジ
氏名	山本　健治
生年月日	1.明治　2.大正　(3.)昭和　13年06月13日
性別	(1.) 男　2. 女
要介護状態区分	要介護1・2・3・(4)・5
認定有効期間	1.平成 (2.)令和 06年06月01日から　令和 07年05月31日まで

請求事業者

事業所番号	1362580318
事業所名称	ひかり療養病院
所在地	〒　－　省略
連絡先	電話番号

居宅サービス計画

	(1) 居宅介護支援事業者作成　2. 被保険者自己作成
事業所番号	1344219302
事業所名称	ＪＭ訪問介護センター

入所年月日	1.平成 (2.)令和 06年08月20日
退所年月日	令和 06年08月30日
短期入所　実日数	11

給付費明細欄

サービス内容	サービスコード	単位数	回数	サービス単位数	公費分回数	公費対象単位数	摘要
病院療養短期Ⅰi4	232241	1163	11	12793			
病院療養短期送迎加算	232920	184	2	368			
病院療短サービス提供体制加算Ⅲ	232703	6	11	66			
病院療短処遇改善加算Ⅰ	232709	675	1	675			
合計				13902			

特定診療費

傷病名							
識別番号	内容	単位数	回数	保険分単位数	公費回数	公費分単位数	摘要
合計							

請求額集計欄

区分	保険分	公費分	保険分特定診療費	公費分特定診療費
①計画単位数	13161			
②限度額管理対象単位数	13161			
③限度額管理対象外単位数	741			
④給付単位数	13902			
⑤単位数単価	10.72 円／単位		10円／単位	10円／単位
⑥給付率	90 ／100	／100	／100	／100
⑦請求額（円）	134126			
⑧利用者負担額（円）	14903			

特定入所者介護サービス費

サービス内容	サービスコード	費用単価(円)	負担限度額	日数	費用額(円)	保険分	公費日数	公費分	利用者負担額
短期療養食費	592311	1445	600	11	15895	9295			6600
短期療養従来型個室	592323	1728	550	11	19008	12958			6050
合計					34903				12650
					保険分請求額(円)	22253	公費分請求額		公費分本人負担月額

枚中　　枚目

（※ 2024年6月現在の情報を元に作成しています。）

【介護報酬請求の実技問題　解説】

■実技問題解説・ひまわり訪問福祉事業所（様式第二）

◎【訪問介護】……身体介護中心の所要時間1時間以上1時間30分未満の訪問介護、2人の介護員等の場合で、特定事業所加算（Ⅰ）の事業所によるサービスなので、1回あたりの単価は1,361単位となる。

計8回の実施で1,361単位×8回＝10,888単位。

◎「請求額集計欄」……訪問介護費は限度額管理対象単位数なので、④計画単位数、⑤限度額管理対象単位数、⑦給付単位数に10,888単位を記載。

事業所は1級地に所在し、⑨単位数単価は11.40円。

費用総額は、10,888単位×11.40円＝124,123円。（※小数点以下四捨五入）

⑩保険請求額（介護保険給付部分）は、124,123円×90%＝111,710.7円。小数点以下を四捨五入して1円未満切り捨てで、111,711円となる。

⑪利用者負担額は、124,123円－111,711円＝12,412円となる。

■実技問題解答・かがやき訪問看護ステーション（様式第二）

◎【訪問看護】……訪問看護ステーションからの、所要時間30分未満の訪問看護であり、1回あたりの単価は470単位となる。計２回の実施で470単位×２回＝940単位。

看護・介護職員連携強化加算は、1月あたり250単位。サービス提供体制強化加算（Ⅰ）は、1回につき6単位なので、6単位×２回＝12単位。

◎「請求額集計欄」……訪問看護費、看護・介護職員連携強化加算は限度額管理対象単位数なので、④計画単位数、⑤限度額管理対象単位数に（940＋250）＝1,190単位を記載。

サービス提供体制強化加算（Ⅰ）は限度額管理対象外単位数なので、⑥限度額管理対象外単位数に12単位を記載。

⑦給付単位数に（1,190＋12）＝1,202単位を記載。

事業所は1級地に所在し、⑨単位数単価は11.40円。

費用総額は、1,202単位×11.40円＝13,702円（1円未満切り捨て）。

⑩保険請求額（介護保険給付部分）は、13,702円×90%＝12,331円（1円未満切り捨て）。
⑪利用者負担額は、13,702円－12,331円＝1,371円となる。

■実技問題解説・ひかり療養病院（様式第五）

◎【短期入所療養介護】……Ⅰ型（療養機能強化型担当）、看護職員6：1/介護職員4：1以上、病院療養病床（従来型個室）の短期入所療養介護であり、要介護4の1日あたりの単位数は、1,163単位である。利用日数は11日であり、1,163単位×11日＝12,793単位。

送迎加算は、片道につき184単位なので184単位×2（往復）＝368単位。サービス提供体制強化加算（Ⅲ）は、1日につき6単位なので、6単位×11日＝66単位。

介護職員処遇改善加算は、総単位数にサービス種別の加算率及び要件別の係数を乗じた単位数を算定。要件（Ⅰ）なので、（12,793＋368＋66）単位×加算率26/1000＝344単位（1単位未満四捨五入）。

◎「請求額集計欄」……短期入所療養介護費、送迎加算は、限度額管理対象単位数なので、①計画単位数、②限度額管理対象単位数に（12,793＋368）＝13,161単位を記載。

サービス提供体制強化加算、介護職員処遇改善加算は限度額管理対象外単位数なので、③限度額管理対象外単位数に（66＋344）＝410単位を記載。
④給付単位数に（13,571＋403）＝13,974単位を記載。

事業所は、2級地に所在し、⑤単位数単価は10.72円。

費用総額は、13,974単位×10.72円＝149,801円（1円未満切り捨て）
⑦請求額（介護保険給付部分）は、149,801円×90%＝134,821円（1円未満切り捨て）
⑧利用者負担額は、149,801円－124,821円＝14,980円となる。
◎「特定入所者介護サービス費」……短期入所療養介護、介護療養型医療施設なので、費用単価は食費1,445円、滞在費（従来型個室）1668円。
利用者負担段階は第2段階なので、負担限度額は食費600円、滞在費490円。

※ 2024 年 6 月現在の情報を元に作成しています。

特定事業所加算（Ⅰ）が適用される場合

特定事業所加算（Ⅰ）が適用される場合

サービスコード 種類	項目	サービス内容略称	算定項目								合成単位数	算定単位
11	6836	身体01・Ⅰ	訪問介護費又は共生型訪問介護費	イ 身体介護が中心	(1)20分未満 163 単位					特定事業所加算（Ⅰ） 20% 加算	196	1回につき
11	6837	身体01 夜・Ⅰ							夜間早朝の場合 25% 加算		245	
11	6838	身体01 深・Ⅰ							深夜の場合 50% 加算		294	
11	6839	身体01・2人・Ⅰ						2人の介護員等の場合 × 200%			391	
11	6840	身体01・2人 夜・Ⅰ							夜間早朝の場合 25% 加算		490	
11	6841	身体01・2人 深・Ⅰ							深夜の場合 50% 加算		587	
11	A244	身体01 虐防・Ⅰ				高齢者虐待防止措置未実施減算 1% 減算					193	
11	A245	身体01 虐防 夜・Ⅰ							夜間早朝の場合 25% 加算		241	
11	A246	身体01 虐防 深・Ⅰ							深夜の場合 50% 加算		290	
11	A247	身体01 虐防・2人・Ⅰ						2人の介護員等の場合 × 200%			386	
11	A248	身体01 虐防・2人 夜・Ⅰ							夜間早朝の場合 25% 加算		484	
11	A249	身体01 虐防・2人 深・Ⅰ							深夜の場合 50% 加算		580	
11	4563	身体02・Ⅰ			(1)20分未満 163 単位 ※頻回の訪問として行う場合						196	
11	4564	身体02 夜・Ⅰ							夜間早朝の場合 25% 加算		245	
11	4565	身体02 深・Ⅰ							深夜の場合 50% 加算		294	
11	4566	身体02・2人・Ⅰ						2人の介護員等の場合 × 200%			391	
11	4567	身体02・2人 夜・Ⅰ							夜間早朝の場合 25% 加算		490	
11	4568	身体02・2人 深・Ⅰ							深夜の場合 50% 加算		587	
11	A250	身体02 虐防・Ⅰ				高齢者虐待防止措置未実施減算 1% 減算					193	
11	A251	身体02 虐防 夜・Ⅰ							夜間早朝の場合 25% 加算		241	
11	A252	身体02 虐防 深・Ⅰ							深夜の場合 50% 加算		290	
11	A253	身体02 虐防・2人・Ⅰ						2人の介護員等の場合 × 200%			386	
11	A254	身体02 虐防・2人 夜・Ⅰ							夜間早朝の場合 25% 加算		484	
11	A255	身体02 虐防・2人 深・Ⅰ							深夜の場合 50% 加算		580	
11	2001	身体1・Ⅰ			(2)20分以上30分未満 244 単位						293	
11	2002	身体1 夜・Ⅰ							夜間早朝の場合 25% 加算		366	
11	2003	身体1 深・Ⅰ							深夜の場合 50% 加算		439	
11	2004	身体1・2人・Ⅰ						2人の介護員等の場合 × 200%			586	
11	2005	身体1・2人 夜・Ⅰ							夜間早朝の場合 25% 加算		732	
11	2006	身体1・2人 深・Ⅰ							深夜の場合 50% 加算		878	
11	A256	身体1 虐防・Ⅰ				高齢者虐待防止措置未実施減算 1% 減算					290	
11	A257	身体1 虐防 夜・Ⅰ							夜間早朝の場合 25% 加算		364	
11	A258	身体1 虐防 深・Ⅰ							深夜の場合 50% 加算		436	
11	A259	身体1 虐防・2人・Ⅰ						2人の介護員等の場合 × 200%			581	
11	A260	身体1 虐防・2人 夜・Ⅰ							夜間早朝の場合 25% 加算		726	
11	A261	身体1 虐防・2人 深・Ⅰ							深夜の場合 50% 加算		871	
11	2013	身1生1・Ⅰ			(2)に引き続き生活援助が中心であるとき 244 単位		生活援助 20分以上45分未満行った場合 + 1 × 65 単位				371	
11	2014	身1生1 夜・Ⅰ							夜間早朝の場合 25% 加算		463	
11	2015	身1生1 深・Ⅰ							深夜の場合 50% 加算		557	
11	2016	身1生1・2人・Ⅰ						2人の介護員等の場合 × 200%			742	
11	2017	身1生1・2人 夜・Ⅰ							夜間早朝の場合 25% 加算		928	
11	2018	身1生1・2人 深・Ⅰ							深夜の場合 50% 加算		1,112	
11	2025	身1生2・Ⅰ					生活援助 45分以上70分未満行った場合 + 2 × 65 単位				449	
11	2026	身1生2 夜・Ⅰ							夜間早朝の場合 25% 加算		562	
11	2027	身1生2 深・Ⅰ							深夜の場合 50% 加算		673	
11	2028	身1生2・2人・Ⅰ						2人の介護員等の場合 × 200%			898	
11	2029	身1生2・2人 夜・Ⅰ							夜間早朝の場合 25% 加算		1,122	
11	2030	身1生2・2人 深・Ⅰ							深夜の場合 50% 加算		1,346	
11	2037	身1生3・Ⅰ					生活援助 70分以上行った場合 + 3 × 65 単位				527	
11	2038	身1生3 夜・Ⅰ							夜間早朝の場合 25% 加算		659	
11	2039	身1生3 深・Ⅰ							深夜の場合 50% 加算		791	
11	2040	身1生3・2人・Ⅰ						2人の介護員等の場合 × 200%			1,054	
11	2041	身1生3・2人 夜・Ⅰ							夜間早朝の場合 25% 加算		1,318	
11	2042	身1生3・2人 深・Ⅰ							深夜の場合 50% 加算		1,580	
11	A262	身1 虐防 生1・Ⅰ				高齢者虐待防止措置未実施減算 1% 減算	生活援助 20分以上45分未満行った場合 + 1 × 65 単位				368	
11	A263	身1 虐防 生1 夜・Ⅰ							夜間早朝の場合 25% 加算		461	
11	A264	身1 虐防 生1 深・Ⅰ							深夜の場合 50% 加算		553	
11	A265	身1 虐防 生1・2人・Ⅰ						2人の介護員等の場合 × 200%			737	
11	A266	身1 虐防 生1・2人 夜・Ⅰ							夜間早朝の場合 25% 加算		922	
11	A267	身1 虐防 生1・2人 深・Ⅰ							深夜の場合 50% 加算		1,105	
11	A268	身1 虐防 生2・Ⅰ					生活援助 45分以上70分未満行った場合 + 2 × 65 単位				446	
11	A269	身1 虐防 生2 夜・Ⅰ							夜間早朝の場合 25% 加算		558	
11	A270	身1 虐防 生2 深・Ⅰ							深夜の場合 50% 加算		670	
11	A271	身1 虐防 生2・2人・Ⅰ						2人の介護員等の場合 × 200%			893	
11	A272	身1 虐防 生2・2人 夜・Ⅰ							夜間早朝の場合 25% 加算		1,116	
11	A273	身1 虐防 生2・2人 深・Ⅰ							深夜の場合 50% 加算		1,339	
11	A274	身1 虐防 生3・Ⅰ					生活援助 70分以上行った場合 + 3 × 65 単位				524	
11	A275	身1 虐防 生3 夜・Ⅰ							夜間早朝の場合 25% 加算		655	
11	A276	身1 虐防 生3 深・Ⅰ							深夜の場合 50% 加算		787	
11	A277	身1 虐防 生3・2人・Ⅰ						2人の介護員等の場合 × 200%			1,049	
11	A278	身1 虐防 生3・2人 夜・Ⅰ							夜間早朝の場合 25% 加算		1,312	
11	A279	身1 虐防 生3・2人 深・Ⅰ							深夜の場合 50% 加算		1,573	

サービスコード 種類	サービスコード 項目	サービス内容略称	算定項目								合成単位数	算定単位
11	2049	身体2・I	訪問介護費又は共生型訪問介護費	イ 身体介護が中心	(3)30分以上1時間未満 387 単位					特定事業所加算（I） 20% 加算	464	1回につき
11	2050	身体2・夜・I							夜間早朝の場合 25% 加算		581	
11	2051	身体2・深・I							深夜の場合 50% 加算		697	
11	2052	身体2・2人・I						2人の介護員等の場合 × 200%			929	
11	2053	身体2・2人・夜・I							夜間早朝の場合 25% 加算		1,162	
11	2054	身体2・2人・深・I							深夜の場合 50% 加算		1,393	
11	A280	身体2・虐防・I				高齢者虐待防止措置未実施減算 1% 減算					460	
11	A281	身体2・虐防・夜・I							夜間早朝の場合 25% 加算		575	
11	A282	身体2・虐防・深・I							深夜の場合 50% 加算		690	
11	A283	身体2・虐防・2人・I						2人の介護員等の場合 × 200%			919	
11	A284	身体2・虐防・2人・夜・I							夜間早朝の場合 25% 加算		1,150	
11	A285	身体2・虐防・2人・深・I							深夜の場合 50% 加算		1,379	
11	2061	身2生1・I			(3)に引き続き生活援助が中心であるとき 387 単位		生活援助 20分以上45分未満行った場合 ＋ 1 × 65 単位				542	
11	2062	身2生1・夜・I							夜間早朝の場合 25% 加算		678	
11	2063	身2生1・深・I							深夜の場合 50% 加算		814	
11	2064	身2生1・2人・I						2人の介護員等の場合 × 200%			1,085	
11	2065	身2生1・2人・夜・I							夜間早朝の場合 25% 加算		1,356	
11	2066	身2生1・2人・深・I							深夜の場合 50% 加算		1,627	
11	2073	身2生2・I					生活援助 45分以上70分未満行った場合 ＋ 2 × 65 単位				620	
11	2074	身2生2・夜・I							夜間早朝の場合 25% 加算		775	
11	2075	身2生2・深・I							深夜の場合 50% 加算		931	
11	2076	身2生2・2人・I						2人の介護員等の場合 × 200%			1,241	
11	2077	身2生2・2人・夜・I							夜間早朝の場合 25% 加算		1,552	
11	2078	身2生2・2人・深・I							深夜の場合 50% 加算		1,861	
11	2085	身2生3・I					生活援助 70分以上行った場合 ＋ 3 × 65 単位				698	
11	2086	身2生3・夜・I							夜間早朝の場合 25% 加算		874	
11	2087	身2生3・深・I							深夜の場合 50% 加算		1,048	
11	2088	身2生3・2人・I						2人の介護員等の場合 × 200%			1,397	
11	2089	身2生3・2人・夜・I							夜間早朝の場合 25% 加算		1,746	
11	2090	身2生3・2人・深・I							深夜の場合 50% 加算		2,095	
11	A286	身2・虐防・生1・I				高齢者虐待防止措置未実施減算 1% 減算	生活援助 20分以上45分未満行った場合 ＋ 1 × 65 単位				538	
11	A287	身2・虐防・生1・夜・I							夜間早朝の場合 25% 加算		672	
11	A288	身2・虐防・生1・深・I							深夜の場合 50% 加算		806	
11	A289	身2・虐防・生1・2人・I						2人の介護員等の場合 × 200%			1,075	
11	A290	身2・虐防・生1・2人・夜・I							夜間早朝の場合 25% 加算		1,344	
11	A291	身2・虐防・生1・2人・深・I							深夜の場合 50% 加算		1,613	
11	A292	身2・虐防・生2・I					生活援助 45分以上70分未満行った場合 ＋ 2 × 65 単位				616	
11	A293	身2・虐防・生2・夜・I							夜間早朝の場合 25% 加算		769	
11	A294	身2・虐防・生2・深・I							深夜の場合 50% 加算		924	
11	A295	身2・虐防・生2・2人・I						2人の介護員等の場合 × 200%			1,231	
11	A296	身2・虐防・生2・2人・夜・I							夜間早朝の場合 25% 加算		1,540	
11	A297	身2・虐防・生2・2人・深・I							深夜の場合 50% 加算		1,847	
11	A298	身2・虐防・生3・I					生活援助 70分以上行った場合 ＋ 3 × 65 単位				694	
11	A299	身2・虐防・生3・夜・I							夜間早朝の場合 25% 加算		868	
11	A300	身2・虐防・生3・深・I							深夜の場合 50% 加算		1,040	
11	A301	身2・虐防・生3・2人・I						2人の介護員等の場合 × 200%			1,387	
11	A302	身2・虐防・生3・2人・夜・I							夜間早朝の場合 25% 加算		1,734	
11	A303	身2・虐防・生3・2人・深・I							深夜の場合 50% 加算		2,081	

サービスコード 種類	サービスコード 項目	サービス内容略称	算定項目									合成単位数	算定単位
11	2097	身体3・I	訪問介護費又は共生型訪問介護費	イ 身体介護が中心	(4) 1時間以上	1時間以上 1時間半未満 567 単位					特定事業所加算(Ⅰ) 20% 加算	680	1回につき
11	2098	身体3夜・I								夜間早朝の場合 25% 加算		851	
11	2099	身体3深・I								深夜の場合 50% 加算		1,021	
11	2100	身体3・2人・I							2人の介護員等の場合 × 200%			1,361	
11	2101	身体3・2人夜・I								夜間早朝の場合 25% 加算		1,702	
11	2102	身体3・2人深・I								深夜の場合 50% 加算		2,041	
11	A304	身体3虐防・I					高齢者虐待防止措置未実施減算 1% 減算					673	
11	A305	身体3虐防夜・I								夜間早朝の場合 25% 加算		841	
11	A306	身体3虐防深・I								深夜の場合 50% 加算		1,010	
11	A307	身体3虐防・2人・I							2人の介護員等の場合 × 200%			1,346	
11	A308	身体3虐防・2人夜・I								夜間早朝の場合 25% 加算		1,684	
11	A309	身体3虐防・2人深・I								深夜の場合 50% 加算		2,020	
11	2109	身3生1・I				身体介護1時間半未満に引き続き生活援助が中心であるとき 567 単位		生活援助 20分以上45分未満行った場合 ＋ 1 × 65 単位				758	
11	2110	身3生1夜・I								夜間早朝の場合 25% 加算		948	
11	2111	身3生1深・I								深夜の場合 50% 加算		1,138	
11	2112	身3生1・2人・I							2人の介護員等の場合 × 200%			1,517	
11	2113	身3生1・2人夜・I								夜間早朝の場合 25% 加算		1,896	
11	2114	身3生1・2人深・I								深夜の場合 50% 加算		2,275	
11	2121	身3生2・I						生活援助 45分以上70分未満行った場合 ＋ 2 × 65 単位				836	
11	2122	身3生2夜・I								夜間早朝の場合 25% 加算		1,045	
11	2123	身3生2深・I								深夜の場合 50% 加算		1,255	
11	2124	身3生2・2人・I							2人の介護員等の場合 × 200%			1,673	
11	2125	身3生2・2人夜・I								夜間早朝の場合 25% 加算		2,092	
11	2126	身3生2・2人深・I								深夜の場合 50% 加算		2,509	
11	2133	身3生3・I						生活援助 70分以上行った場合 ＋ 3 × 65 単位				914	
11	2134	身3生3夜・I								夜間早朝の場合 25% 加算		1,144	
11	2135	身3生3深・I								深夜の場合 50% 加算		1,372	
11	2136	身3生3・2人・I							2人の介護員等の場合 × 200%			1,829	
11	2137	身3生3・2人夜・I								夜間早朝の場合 25% 加算		2,286	
11	2138	身3生3・2人深・I								深夜の場合 50% 加算		2,743	
11	A310	身3虐防生1・I					高齢者虐待防止措置未実施減算 1% 減算	生活援助 20分以上45分未満行った場合 ＋ 1 × 65 単位				751	
11	A311	身3虐防生1夜・I								夜間早朝の場合 25% 加算		940	
11	A312	身3虐防生1深・I								深夜の場合 50% 加算		1,127	
11	A313	身3虐防生1・2人・I							2人の介護員等の場合 × 200%			1,502	
11	A314	身3虐防生1・2人夜・I								夜間早朝の場合 25% 加算		1,878	
11	A315	身3虐防生1・2人深・I								深夜の場合 50% 加算		2,254	
11	A316	身3虐防生2・I						生活援助 45分以上70分未満行った場合 ＋ 2 × 65 単位				829	
11	A317	身3虐防生2夜・I								夜間早朝の場合 25% 加算		1,037	
11	A318	身3虐防生2深・I								深夜の場合 50% 加算		1,244	
11	A319	身3虐防生2・2人・I							2人の介護員等の場合 × 200%			1,658	
11	A320	身3虐防生2・2人夜・I								夜間早朝の場合 25% 加算		2,074	
11	A321	身3虐防生2・2人深・I								深夜の場合 50% 加算		2,488	
11	A322	身3虐防生3・I						生活援助 70分以上行った場合 ＋ 3 × 65 単位				907	
11	A323	身3虐防生3夜・I								夜間早朝の場合 25% 加算		1,134	
11	A324	身3虐防生3深・I								深夜の場合 50% 加算		1,361	
11	A325	身3虐防生3・2人・I							2人の介護員等の場合 × 200%			1,814	
11	A326	身3虐防生3・2人夜・I								夜間早朝の場合 25% 加算		2,268	
11	A327	身3虐防生3・2人深・I								深夜の場合 50% 加算		2,722	

サービスコード		サービス内容略称	算定項目									合成単位数	算定単位
種類	項目												
11	2145	身体4・Ⅰ	訪問介護費又は共生型訪問介護費	イ 身体介護が中心	(4) 1時間以上	1時間半以上2時間未満 567 + 1 × 82 単位					特定事業所加算（Ⅰ） 20% 加算	779	1回につき
11	2146	身体4夜・Ⅰ								夜間早朝の場合 25% 加算		973	
11	2147	身体4深・Ⅰ								深夜の場合 50% 加算		1,169	
11	2148	身体4・2人・Ⅰ							2人の介護員等の場合 × 200%			1,558	
11	2149	身体4・2人 夜・Ⅰ								夜間早朝の場合 25% 加算		1,948	
11	2150	身体4・2人 深・Ⅰ								深夜の場合 50% 加算		2,336	
11	A328	身体4虐防・Ⅰ					高齢者虐待防止措置未実施減算 1% 減算					772	
11	A329	身体4虐防 夜・Ⅰ								夜間早朝の場合 25% 加算		965	
11	A330	身体4虐防 深・Ⅰ								深夜の場合 50% 加算		1,158	
11	A331	身体4虐防・2人・Ⅰ							2人の介護員等の場合 × 200%			1,543	
11	A332	身体4虐防・2人 夜・Ⅰ								夜間早朝の場合 25% 加算		1,930	
11	A333	身体4虐防・2人 深・Ⅰ								深夜の場合 50% 加算		2,315	
11	2157	身4生1・Ⅰ				身体介護2時間未満に引き続き生活援助が中心であるとき 567 + 1 × 82 単位		生活援助 20分以上45分未満行った場合 + 1 × 65 単位				857	
11	2158	身4生1夜・Ⅰ								夜間早朝の場合 25% 加算		1,072	
11	2159	身4生1深・Ⅰ								深夜の場合 50% 加算		1,285	
11	2160	身4生1・2人・Ⅰ							2人の介護員等の場合 × 200%			1,714	
11	2161	身4生1・2人 夜・Ⅰ								夜間早朝の場合 25% 加算		2,142	
11	2162	身4生1・2人 深・Ⅰ								深夜の場合 50% 加算		2,570	
11	2169	身4生2・Ⅰ						生活援助 45分以上70分未満行った場合 + 2 × 65 単位				935	
11	2170	身4生2夜・Ⅰ								夜間早朝の場合 25% 加算		1,169	
11	2171	身4生2深・Ⅰ								深夜の場合 50% 加算		1,403	
11	2172	身4生2・2人・Ⅰ							2人の介護員等の場合 × 200%			1,870	
11	2173	身4生2・2人 夜・Ⅰ								夜間早朝の場合 25% 加算		2,338	
11	2174	身4生2・2人 深・Ⅰ								深夜の場合 50% 加算		2,804	
11	2181	身4生3・Ⅰ						生活援助 70分以上行った場合 + 3 × 65 単位				1,013	
11	2182	身4生3夜・Ⅰ								夜間早朝の場合 25% 加算		1,266	
11	2183	身4生3深・Ⅰ								深夜の場合 50% 加算		1,519	
11	2184	身4生3・2人・Ⅰ							2人の介護員等の場合 × 200%			2,026	
11	2185	身4生3・2人 夜・Ⅰ								夜間早朝の場合 25% 加算		2,532	
11	2186	身4生3・2人 深・Ⅰ								深夜の場合 50% 加算		3,038	
11	A334	身4虐防 生1・Ⅰ					高齢者虐待防止措置未実施減算 1% 減算	生活援助 20分以上45分未満行った場合 + 1 × 65 単位				850	
11	A335	身4虐防 生1夜・Ⅰ								夜間早朝の場合 25% 加算		1,062	
11	A336	身4虐防 生1深・Ⅰ								深夜の場合 50% 加算		1,274	
11	A337	身4虐防 生1・2人・Ⅰ							2人の介護員等の場合 × 200%			1,699	
11	A338	身4虐防 生1・2人 夜・Ⅰ								夜間早朝の場合 25% 加算		2,124	
11	A339	身4虐防 生1・2人 深・Ⅰ								深夜の場合 50% 加算		2,549	
11	A340	身4虐防 生2・Ⅰ						生活援助 45分以上70分未満行った場合 + 2 × 65 単位				928	
11	A341	身4虐防 生2夜・Ⅰ								夜間早朝の場合 25% 加算		1,159	
11	A342	身4虐防 生2深・Ⅰ								深夜の場合 50% 加算		1,392	
11	A343	身4虐防 生2・2人・Ⅰ							2人の介護員等の場合 × 200%			1,855	
11	A344	身4虐防 生2・2人 夜・Ⅰ								夜間早朝の場合 25% 加算		2,320	
11	A345	身4虐防 生2・2人 深・Ⅰ								深夜の場合 50% 加算		2,783	
11	A346	身4虐防 生3・Ⅰ						生活援助 70分以上行った場合 + 3 × 65 単位				1,006	
11	A347	身4虐防 生3夜・Ⅰ								夜間早朝の場合 25% 加算		1,258	
11	A348	身4虐防 生3深・Ⅰ								深夜の場合 50% 加算		1,508	
11	A349	身4虐防 生3・2人・Ⅰ							2人の介護員等の場合 × 200%			2,011	
11	A350	身4虐防 生3・2人 夜・Ⅰ								夜間早朝の場合 25% 加算		2,514	
11	A351	身4虐防 生3・2人 深・Ⅰ								深夜の場合 50% 加算		3,017	

サービスコード		サービス内容略称	算定項目									合成	算定
種類	項目											単位数	単位
11	2193	身体5・I	訪問介護費又は共生型訪問介護費	イ 身体介護が中心	(4) 1時間以上	2時間以上2時間半未満 567＋2× 82 単位					特定事業所加算(I) 20% 加算	877	1回につき
11	2194	身体5夜・I								夜間早朝の場合 25% 加算		1,097	
11	2195	身体5深・I								深夜の場合 50% 加算		1,316	
11	2196	身体5・2人・I							2人の介護員等の場合 × 200%			1,754	
11	2197	身体5・2人 夜・I								夜間早朝の場合 25% 加算		2,194	
11	2198	身体5・2人 深・I								深夜の場合 50% 加算		2,632	
11	A352	身体5虐防・I					高齢者虐待防止措置未実施減算 1% 減算					869	
11	A353	身体5虐防 夜・I								夜間早朝の場合 25% 加算		1,086	
11	A354	身体5虐防 深・I								深夜の場合 50% 加算		1,303	
11	A355	身体5虐防・2人・I							2人の介護員等の場合 × 200%			1,738	
11	A356	身体5虐防・2人 夜・I								夜間早朝の場合 25% 加算		2,172	
11	A357	身体5虐防・2人 深・I								深夜の場合 50% 加算		2,606	
11	2205	身5生1・I				身体介護2時間半未満に引き続き生活援助が中心であるとき 567＋2× 82 単位		生活援助 20分以上45分未満行った場合 ＋ 1× 65 単位				955	
11	2206	身5生1夜・I								夜間早朝の場合 25% 加算		1,194	
11	2207	身5生1深・I								深夜の場合 50% 加算		1,433	
11	2208	身5生1・2人・I							2人の介護員等の場合 × 200%			1,910	
11	2209	身5生1・2人 夜・I								夜間早朝の場合 25% 加算		2,388	
11	2210	身5生1・2人 深・I								深夜の場合 50% 加算		2,866	
11	2220	身5生2・I						生活援助 45分以上70分未満行った場合 ＋ 2× 65 単位				1,033	
11	2224	身5生2夜・I								夜間早朝の場合 25% 加算		1,291	
11	2225	身5生2深・I								深夜の場合 50% 加算		1,550	
11	2226	身5生2・2人・I							2人の介護員等の場合 × 200%			2,066	
11	2227	身5生2・2人 夜・I								夜間早朝の場合 25% 加算		2,584	
11	2228	身5生2・2人 深・I								深夜の場合 50% 加算		3,100	
11	2235	身5生3・I						生活援助 70分以上行った場合 ＋ 3× 65 単位				1,111	
11	2236	身5生3夜・I								夜間早朝の場合 25% 加算		1,390	
11	2237	身5生3深・I								深夜の場合 50% 加算		1,667	
11	2238	身5生3・2人・I							2人の介護員等の場合 × 200%			2,222	
11	2239	身5生3・2人 夜・I								夜間早朝の場合 25% 加算		2,778	
11	2240	身5生3・2人 深・I								深夜の場合 50% 加算		3,334	
11	A358	身5虐防 生1・I					高齢者虐待防止措置未実施減算 1% 減算	生活援助 20分以上45分未満行った場合 ＋ 1× 65 単位				947	
11	A359	身5虐防 生1夜・I								夜間早朝の場合 25% 加算		1,183	
11	A360	身5虐防 生1深・I								深夜の場合 50% 加算		1,421	
11	A361	身5虐防 生1・2人・I							2人の介護員等の場合 × 200%			1,894	
11	A362	身5虐防 生1・2人 夜・I								夜間早朝の場合 25% 加算		2,368	
11	A363	身5虐防 生1・2人 深・I								深夜の場合 50% 加算		2,840	
11	A364	身5虐防 生2・I						生活援助 45分以上70分未満行った場合 ＋ 2× 65 単位				1,025	
11	A365	身5虐防 生2夜・I								夜間早朝の場合 25% 加算		1,282	
11	A366	身5虐防 生2深・I								深夜の場合 50% 加算		1,537	
11	A367	身5虐防 生2・2人・I							2人の介護員等の場合 × 200%			2,050	
11	A368	身5虐防 生2・2人 夜・I								夜間早朝の場合 25% 加算		2,562	
11	A369	身5虐防 生2・2人 深・I								深夜の場合 50% 加算		3,074	
11	A370	身5虐防 生3・I						生活援助 70分以上行った場合 ＋ 3× 65 単位				1,103	
11	A371	身5虐防 生3夜・I								夜間早朝の場合 25% 加算		1,379	
11	A372	身5虐防 生3深・I								深夜の場合 50% 加算		1,655	
11	A373	身5虐防 生3・2人・I							2人の介護員等の場合 × 200%			2,206	
11	A374	身5虐防 生3・2人 夜・I								夜間早朝の場合 25% 加算		2,758	
11	A375	身5虐防 生3・2人 深・I								深夜の場合 50% 加算		3,308	

サービスコード 種類	項目	サービス内容略称	算定項目									合成単位数	算定単位
11	2247	身体6・Ⅰ	訪問介護費又は共生型訪問介護費	イ 身体介護が中心	(4) 1時間以上	2時間半以上 3時間未満 567＋3×82単位					特定事業所加算（Ⅰ） 20％加算	976	1回につき
11	2248	身体6夜・Ⅰ								夜間早朝の場合 25％加算		1,219	
11	2249	身体6深・Ⅰ								深夜の場合 50％加算		1,464	
11	2250	身体6・2人・Ⅰ							2人の介護員等の場合 ×200％			1,951	
11	2251	身体6・2人 夜・Ⅰ								夜間早朝の場合 25％加算		2,440	
11	2252	身体6・2人 深・Ⅰ								深夜の場合 50％加算		2,927	
11	A376	身体6・虐防・Ⅰ					高齢者虐待防止措置未実施減算 1％減算					966	
11	A377	身体6・虐防 夜・Ⅰ								夜間早朝の場合 25％加算		1,207	
11	A378	身体6・虐防 深・Ⅰ								深夜の場合 50％加算		1,450	
11	A379	身体6・虐防・2人・Ⅰ							2人の介護員等の場合 ×200％			1,932	
11	A380	身体6・虐防・2人 夜・Ⅰ								夜間早朝の場合 25％加算		2,416	
11	A381	身体6・虐防・2人 深・Ⅰ								深夜の場合 50％加算		2,898	
11	2259	身6生1・Ⅰ				身体介護3時間未満に引き続き生活援助が中心であるとき 567＋3×82単位		生活援助 20分以上45分未満行った場合 ＋1×65単位				1,054	
11	2260	身6生1夜・Ⅰ								夜間早朝の場合 25％加算		1,318	
11	2261	身6生1深・Ⅰ								深夜の場合 50％加算		1,580	
11	2262	身6生1・2人・Ⅰ							2人の介護員等の場合 ×200％			2,107	
11	2263	身6生1・2人 夜・Ⅰ								夜間早朝の場合 25％加算		2,634	
11	2264	身6生1・2人 深・Ⅰ								深夜の場合 50％加算		3,161	
11	2271	身6生2・Ⅰ						生活援助 45分以上70分未満行った場合 ＋2×65単位				1,132	
11	2272	身6生2夜・Ⅰ								夜間早朝の場合 25％加算		1,415	
11	2273	身6生2深・Ⅰ								深夜の場合 50％加算		1,698	
11	2274	身6生2・2人・Ⅰ							2人の介護員等の場合 ×200％			2,263	
11	2275	身6生2・2人 夜・Ⅰ								夜間早朝の場合 25％加算		2,830	
11	2276	身6生2・2人 深・Ⅰ								深夜の場合 50％加算		3,395	
11	2283	身6生3・Ⅰ						生活援助 70分以上行った場合 ＋3×65単位				1,210	
11	2284	身6生3夜・Ⅰ								夜間早朝の場合 25％加算		1,512	
11	2285	身6生3深・Ⅰ								深夜の場合 50％加算		1,814	
11	2286	身6生3・2人・Ⅰ							2人の介護員等の場合 ×200％			2,419	
11	2287	身6生3・2人 夜・Ⅰ								夜間早朝の場合 25％加算		3,024	
11	2288	身6生3・2人 深・Ⅰ								深夜の場合 50％加算		3,629	
11	A382	身6・虐防 生1・Ⅰ					高齢者虐待防止措置未実施減算 1％減算	生活援助 20分以上45分未満行った場合 ＋1×65単位				1,044	
11	A383	身6・虐防 生1夜・Ⅰ								夜間早朝の場合 25％加算		1,306	
11	A384	身6・虐防 生1深・Ⅰ								深夜の場合 50％加算		1,566	
11	A385	身6・虐防 生1・2人・Ⅰ							2人の介護員等の場合 ×200％			2,088	
11	A386	身6・虐防 生1・2人 夜・Ⅰ								夜間早朝の場合 25％加算		2,610	
11	A387	身6・虐防 生1・2人 深・Ⅰ								深夜の場合 50％加算		3,132	
11	A388	身6・虐防 生2・Ⅰ						生活援助 45分以上70分未満行った場合 ＋2×65単位				1,122	
11	A389	身6・虐防 生2夜・Ⅰ								夜間早朝の場合 25％加算		1,403	
11	A390	身6・虐防 生2深・Ⅰ								深夜の場合 50％加算		1,684	
11	A391	身6・虐防 生2・2人・Ⅰ							2人の介護員等の場合 ×200％			2,244	
11	A392	身6・虐防 生2・2人 夜・Ⅰ								夜間早朝の場合 25％加算		2,806	
11	A393	身6・虐防 生2・2人 深・Ⅰ								深夜の場合 50％加算		3,366	
11	A394	身6・虐防 生3・Ⅰ						生活援助 70分以上行った場合 ＋3×65単位				1,200	
11	A395	身6・虐防 生3夜・Ⅰ								夜間早朝の場合 25％加算		1,500	
11	A396	身6・虐防 生3深・Ⅰ								深夜の場合 50％加算		1,800	
11	A397	身6・虐防 生3・2人・Ⅰ							2人の介護員等の場合 ×200％			2,400	
11	A398	身6・虐防 生3・2人 夜・Ⅰ								夜間早朝の場合 25％加算		3,000	
11	A399	身6・虐防 生3・2人 深・Ⅰ								深夜の場合 50％加算		3,600	

サービスコード 種類	サービスコード 項目	サービス内容略称	算定項目	合成単位数	算定単位
11	2295	身体7・Ⅰ	訪問介護費又は共生型訪問介護費 / イ 身体介護が中心 / (4) 1時間以上 / 3時間以上3時間半未満 / 特定事業所加算(Ⅰ)	1,074	1回につき
11	2296	身体7夜・Ⅰ	夜間早朝の場合 25% 加算	1,343	
11	2297	身体7深・Ⅰ	深夜の場合 50% 加算	1,612	
11	2298	身体7・2人・Ⅰ	567 ＋ 4 × 82 単位 / 2人の介護員等の場合	2,148	
11	2299	身体7・2人 夜・Ⅰ	夜間早朝の場合 25% 加算 / 20% 加算	2,686	
11	2300	身体7・2人 深・Ⅰ	× 200% / 深夜の場合 50% 加算	3,222	
11	A400	身体7虐防・Ⅰ	高齢者虐待防止措置未実施減算	1,063	
11	A401	身体7虐防 夜・Ⅰ	夜間早朝の場合 25% 加算	1,330	
11	A402	身体7虐防 深・Ⅰ	深夜の場合 50% 加算	1,595	
11	A403	身体7虐防・2人・Ⅰ	2人の介護員等の場合	2,126	
11	A404	身体7虐防・2人 夜・Ⅰ	1% 減算 / 夜間早朝の場合 25% 加算	2,658	
11	A405	身体7虐防・2人 深・Ⅰ	× 200% / 深夜の場合 50% 加算	3,190	
11	2307	身7生1・Ⅰ	身体介護3時間半未満に引き続き生活援助が中心であるとき 567 ＋ 4 × 82 単位 / 生活援助 20分以上45分未満行った場合 ＋ 1 × 65 単位	1,152	
11	2308	身7生1夜・Ⅰ	夜間早朝の場合 25% 加算	1,440	
11	2309	身7生1深・Ⅰ	深夜の場合 50% 加算	1,728	
11	2310	身7生1・2人・Ⅰ	2人の介護員等の場合	2,304	
11	2314	身7生1・2人 夜・Ⅰ	夜間早朝の場合 25% 加算	2,880	
11	2315	身7生1・2人 深・Ⅰ	× 200% / 深夜の場合 50% 加算	3,456	
11	2325	身7生2・Ⅰ	生活援助 45分以上70分未満行った場合 ＋ 2 × 65 単位	1,230	
11	2326	身7生2夜・Ⅰ	夜間早朝の場合 25% 加算	1,537	
11	2327	身7生2深・Ⅰ	深夜の場合 50% 加算	1,846	
11	2328	身7生2・2人・Ⅰ	2人の介護員等の場合	2,460	
11	2329	身7生2・2人 夜・Ⅰ	夜間早朝の場合 25% 加算	3,076	
11	2330	身7生2・2人 深・Ⅰ	× 200% / 深夜の場合 50% 加算	3,690	
11	2337	身7生3・Ⅰ	生活援助 70分以上行った場合 ＋ 3 × 65 単位	1,308	
11	2338	身7生3夜・Ⅰ	夜間早朝の場合 25% 加算	1,636	
11	2339	身7生3深・Ⅰ	深夜の場合 50% 加算	1,962	
11	2340	身7生3・2人・Ⅰ	2人の介護員等の場合	2,616	
11	2341	身7生3・2人 夜・Ⅰ	夜間早朝の場合 25% 加算	3,270	
11	2342	身7生3・2人 深・Ⅰ	× 200% / 深夜の場合 50% 加算	3,924	
11	A406	身7虐防 生1・Ⅰ	高齢者虐待防止措置未実施減算 / 生活援助 20分以上45分未満行った場合 ＋ 1 × 65 単位	1,141	
11	A407	身7虐防 生1夜・Ⅰ	夜間早朝の場合 25% 加算	1,427	
11	A408	身7虐防 生1深・Ⅰ	深夜の場合 50% 加算	1,712	
11	A409	身7虐防 生1・2人・Ⅰ	1% 減算 / 2人の介護員等の場合	2,282	
11	A410	身7虐防 生1・2人 夜・Ⅰ	夜間早朝の場合 25% 加算	2,854	
11	A411	身7虐防 生1・2人 深・Ⅰ	× 200% / 深夜の場合 50% 加算	3,424	
11	A412	身7虐防 生2・Ⅰ	生活援助 45分以上70分未満行った場合 ＋ 2 × 65 単位	1,219	
11	A413	身7虐防 生2夜・Ⅰ	夜間早朝の場合 25% 加算	1,524	
11	A414	身7虐防 生2深・Ⅰ	深夜の場合 50% 加算	1,829	
11	A415	身7虐防 生2・2人・Ⅰ	2人の介護員等の場合	2,438	
11	A416	身7虐防 生2・2人 夜・Ⅰ	夜間早朝の場合 25% 加算	3,048	
11	A417	身7虐防 生2・2人 深・Ⅰ	× 200% / 深夜の場合 50% 加算	3,658	
11	A418	身7虐防 生3・Ⅰ	生活援助 70分以上行った場合 ＋ 3 × 65 単位	1,297	
11	A419	身7虐防 生3夜・Ⅰ	夜間早朝の場合 25% 加算	1,621	
11	A420	身7虐防 生3深・Ⅰ	深夜の場合 50% 加算	1,946	
11	A421	身7虐防 生3・2人・Ⅰ	2人の介護員等の場合	2,594	
11	A422	身7虐防 生3・2人 夜・Ⅰ	夜間早朝の場合 25% 加算	3,244	
11	A423	身7虐防 生3・2人 深・Ⅰ	× 200% / 深夜の場合 50% 加算	3,892	

サービスコード 種類	項目	サービス内容略称	算定項目									合成単位数	算定単位
11	2349	身体8・I	訪問介護費又は共生型訪問介護費	イ 身体介護が中心	(4) 1時間以上	3時間半以上4時間未満 567＋5× 82単位					特定事業所加算（I） 20%加算	1,172	1回につき
11	2350	身体8夜・I								夜間早朝の場合 25%加算		1,465	
11	2351	身体8深・I								深夜の場合 50%加算		1,759	
11	2352	身体8・2人・I							2人の介護員等の場合 ×200%			2,345	
11	2353	身体8・2人 夜・I								夜間早朝の場合 25%加算		2,932	
11	2354	身体8・2人 深・I								深夜の場合 50%加算		3,517	
11	A424	身体8虐防・I					高齢者虐待防止措置未実施減算 1%減算					1,160	
11	A425	身体8虐防 夜・I								夜間早朝の場合 25%加算		1,451	
11	A426	身体8虐防 深・I								深夜の場合 50%加算		1,741	
11	A427	身体8虐防・2人・I							2人の介護員等の場合 ×200%			2,321	
11	A428	身体8虐防・2人 夜・I								夜間早朝の場合 25%加算		2,902	
11	A429	身体8虐防・2人 深・I								深夜の場合 50%加算		3,481	
11	2361	身8生1・I				身体介護4時間未満に引き続き生活援助が中心であるとき 567＋5× 82単位		生活援助 20分以上45分未満行った場合 ＋1× 65単位				1,250	
11	2362	身8生1夜・I								夜間早朝の場合 25%加算		1,564	
11	2363	身8生1深・I								深夜の場合 50%加算		1,876	
11	2364	身8生1・2人・I							2人の介護員等の場合 ×200%			2,501	
11	2365	身8生1・2人 夜・I								夜間早朝の場合 25%加算		3,126	
11	2366	身8生1・2人 深・I								深夜の場合 50%加算		3,751	
11	2373	身8生2・I						生活援助 45分以上70分未満行った場合 ＋2× 65単位				1,328	
11	2374	身8生2夜・I								夜間早朝の場合 25%加算		1,661	
11	2375	身8生2深・I								深夜の場合 50%加算		1,993	
11	2376	身8生2・2人・I							2人の介護員等の場合 ×200%			2,657	
11	2377	身8生2・2人 夜・I								夜間早朝の場合 25%加算		3,322	
11	2378	身8生2・2人 深・I								深夜の場合 50%加算		3,985	
11	2385	身8生3・I						生活援助 70分以上行った場合 ＋3× 65単位				1,406	
11	2386	身8生3夜・I								夜間早朝の場合 25%加算		1,758	
11	2387	身8生3深・I								深夜の場合 50%加算		2,110	
11	2388	身8生3・2人・I							2人の介護員等の場合 ×200%			2,813	
11	2389	身8生3・2人 夜・I								夜間早朝の場合 25%加算		3,516	
11	2390	身8生3・2人 深・I								深夜の場合 50%加算		4,219	
11	A430	身8虐防 生1・I					高齢者虐待防止措置未実施減算 1%減算	生活援助 20分以上45分未満行った場合 ＋1× 65単位				1,238	
11	A431	身8虐防 生1夜・I								夜間早朝の場合 25%加算		1,548	
11	A432	身8虐防 生1深・I								深夜の場合 50%加算		1,858	
11	A433	身8虐防 生1・2人・I							2人の介護員等の場合 ×200%			2,477	
11	A434	身8虐防 生1・2人 夜・I								夜間早朝の場合 25%加算		3,096	
11	A435	身8虐防 生1・2人 深・I								深夜の場合 50%加算		3,715	
11	A436	身8虐防 生2・I						生活援助 45分以上70分未満行った場合 ＋2× 65単位				1,316	
11	A437	身8虐防 生2夜・I								夜間早朝の場合 25%加算		1,645	
11	A438	身8虐防 生2深・I								深夜の場合 50%加算		1,975	
11	A439	身8虐防 生2・2人・I							2人の介護員等の場合 ×200%			2,633	
11	A440	身8虐防 生2・2人 夜・I								夜間早朝の場合 25%加算		3,292	
11	A441	身8虐防 生2・2人 深・I								深夜の場合 50%加算		3,949	
11	A442	身8虐防 生3・I						生活援助 70分以上行った場合 ＋3× 65単位				1,394	
11	A443	身8虐防 生3夜・I								夜間早朝の場合 25%加算		1,744	
11	A444	身8虐防 生3深・I								深夜の場合 50%加算		2,092	
11	A445	身8虐防 生3・2人・I							2人の介護員等の場合 ×200%			2,789	
11	A446	身8虐防 生3・2人 夜・I								夜間早朝の場合 25%加算		3,486	
11	A447	身8虐防 生3・2人 深・I								深夜の場合 50%加算		4,183	

●サービスコード表の12頁から19頁までを抜粋

・「特定事業所加算（Ⅰ）が適用される場合」

●サービスコード表の63頁から72頁までを抜粋

・「3 訪問看護サービスコード表」

●サービスコード表の153頁から163頁までを抜粋

・「ロ 療養病床を有する病院における短期入所療養介護」

●サービスコード表の325頁より抜粋

・「Ⅳ 特定入所者介護サービス費サービスコード

食費及び居住費（滞在費）の基準費用額」

3 訪問看護サービスコード表

サービスコード 種類	項目	サービス内容略称	算定項目						合成単位数	算定単位
13	1010	訪看Ⅰ1	イ 指定訪問看護ステーション	(1) 20分未満 314 単位 週に1回以上、20分以上の保健師又は看護師による訪問を行った場合算定可能					314	1回につき
13	1015	訪看Ⅰ1夜					夜間早朝の場合 25% 加算		393	
13	1016	訪看Ⅰ1深					深夜の場合 50% 加算		471	
13	1017	訪看Ⅰ1複11						複数名訪問加算（Ⅰ） 2人以上による場合（30分未満） + 254 単位	568	
13	1018	訪看Ⅰ1夜複11					夜間早朝の場合 25% 加算		647	
13	1019	訪看Ⅰ1深複11					深夜の場合 50% 加算		725	
13	1040	訪看Ⅰ1複21						複数名訪問加算（Ⅱ） 2人以上による場合（30分未満） + 201 単位	515	
13	1041	訪看Ⅰ1夜複21					夜間早朝の場合 25% 加算		594	
13	1042	訪看Ⅰ1深複21					深夜の場合 50% 加算		672	
13	1051	訪看Ⅰ1虐防				高齢者虐待防止措置未実施減算 1% 減算			311	
13	1052	訪看Ⅰ1虐防夜					夜間早朝の場合 25% 加算		389	
13	1053	訪看Ⅰ1虐防深					深夜の場合 50% 加算		467	
13	1054	訪看Ⅰ1虐防複11						複数名訪問加算（Ⅰ） 2人以上による場合（30分未満） + 254 単位	565	
13	1055	訪看Ⅰ1虐防夜複11					夜間早朝の場合 25% 加算		643	
13	1056	訪看Ⅰ1虐防深複11					深夜の場合 50% 加算		721	
13	1057	訪看Ⅰ1虐防複21						複数名訪問加算（Ⅱ） 2人以上による場合（30分未満） + 201 単位	512	
13	1058	訪看Ⅰ1虐防夜複21					夜間早朝の場合 25% 加算		590	
13	1059	訪看Ⅰ1虐防深複21					深夜の場合 50% 加算		668	
13	1020	訪看Ⅰ1准			准看護師の場合 × 90%				283	
13	1025	訪看Ⅰ1准夜					夜間早朝の場合 25% 加算		354	
13	1026	訪看Ⅰ1准深					深夜の場合 50% 加算		425	
13	1027	訪看Ⅰ1准複11						複数名訪問加算（Ⅰ） 2人以上による場合（30分未満） + 254 単位	537	
13	1028	訪看Ⅰ1准夜複11					夜間早朝の場合 25% 加算		608	
13	1029	訪看Ⅰ1准深複11					深夜の場合 50% 加算		679	
13	1030	訪看Ⅰ1准複21						複数名訪問加算（Ⅱ） 2人以上による場合（30分未満） + 201 単位	484	
13	1031	訪看Ⅰ1准夜複21					夜間早朝の場合 25% 加算		555	
13	1032	訪看Ⅰ1准深複21					深夜の場合 50% 加算		626	
13	1060	訪看Ⅰ1准虐防				高齢者虐待防止措置未実施減算 1% 減算			280	
13	1061	訪看Ⅰ1准虐防夜					夜間早朝の場合 25% 加算		350	
13	1062	訪看Ⅰ1准虐防深					深夜の場合 50% 加算		420	
13	1063	訪看Ⅰ1准虐防複11						複数名訪問加算（Ⅰ） 2人以上による場合（30分未満） + 254 単位	534	
13	1064	訪看Ⅰ1准虐防夜複11					夜間早朝の場合 25% 加算		604	
13	1065	訪看Ⅰ1准虐防深複11					深夜の場合 50% 加算		674	
13	1066	訪看Ⅰ1准虐防複21						複数名訪問加算（Ⅱ） 2人以上による場合（30分未満） + 201 単位	481	
13	1067	訪看Ⅰ1准虐防夜複21					夜間早朝の場合 25% 加算		551	
13	1068	訪看Ⅰ1准虐防深複21					深夜の場合 50% 加算		621	
13	1111	訪看Ⅰ2		(2) 30分未満 471 単位					471	
13	1112	訪看Ⅰ2夜					夜間早朝の場合 25% 加算		589	
13	1113	訪看Ⅰ2深					深夜の場合 50% 加算		707	
13	1114	訪看Ⅰ2複11						複数名訪問加算（Ⅰ） 2人以上による場合（30分未満） + 254 単位	725	
13	1115	訪看Ⅰ2夜複11					夜間早朝の場合 25% 加算		843	
13	1116	訪看Ⅰ2深複11					深夜の場合 50% 加算		961	
13	1117	訪看Ⅰ2複21						複数名訪問加算（Ⅱ） 2人以上による場合（30分未満） + 201 単位	672	
13	1118	訪看Ⅰ2夜複21					夜間早朝の場合 25% 加算		790	
13	1119	訪看Ⅰ2深複21					深夜の場合 50% 加算		908	
13	1151	訪看Ⅰ2虐防				高齢者虐待防止措置未実施減算 1% 減算			466	
13	1152	訪看Ⅰ2虐防夜					夜間早朝の場合 25% 加算		583	
13	1153	訪看Ⅰ2虐防深					深夜の場合 50% 加算		699	
13	1154	訪看Ⅰ2虐防複11						複数名訪問加算（Ⅰ） 2人以上による場合（30分未満） + 254 単位	720	
13	1155	訪看Ⅰ2虐防夜複11					夜間早朝の場合 25% 加算		837	
13	1156	訪看Ⅰ2虐防深複11					深夜の場合 50% 加算		953	
13	1157	訪看Ⅰ2虐防複21						複数名訪問加算（Ⅱ） 2人以上による場合（30分未満） + 201 単位	667	
13	1158	訪看Ⅰ2虐防夜複21					夜間早朝の場合 25% 加算		784	
13	1159	訪看Ⅰ2虐防深複21					深夜の場合 50% 加算		900	
13	1121	訪看Ⅰ2准			准看護師の場合 × 90%				424	
13	1122	訪看Ⅰ2准夜					夜間早朝の場合 25% 加算		530	
13	1123	訪看Ⅰ2准深					深夜の場合 50% 加算		636	
13	1124	訪看Ⅰ2准複11						複数名訪問加算（Ⅰ） 2人以上による場合（30分未満） + 254 単位	678	
13	1125	訪看Ⅰ2准夜複11					夜間早朝の場合 25% 加算		784	
13	1126	訪看Ⅰ2准深複11					深夜の場合 50% 加算		890	
13	1127	訪看Ⅰ2准複21						複数名訪問加算（Ⅱ） 2人以上による場合（30分未満） + 201 単位	625	
13	1128	訪看Ⅰ2准夜複21					夜間早朝の場合 25% 加算		731	
13	1129	訪看Ⅰ2准深複21					深夜の場合 50% 加算		837	
13	1160	訪看Ⅰ2准虐防				高齢者虐待防止措置未実施減算 1% 減算			419	
13	1161	訪看Ⅰ2准虐防夜					夜間早朝の場合 25% 加算		524	
13	1162	訪看Ⅰ2准虐防深					深夜の場合 50% 加算		629	
13	1163	訪看Ⅰ2准虐防複11						複数名訪問加算（Ⅰ） 2人以上による場合（30分未満） + 254 単位	673	
13	1164	訪看Ⅰ2准虐防夜複11					夜間早朝の場合 25% 加算		778	
13	1165	訪看Ⅰ2准虐防深複11					深夜の場合 50% 加算		883	
13	1166	訪看Ⅰ2准虐防複21						複数名訪問加算（Ⅱ） 2人以上による場合（30分未満） + 201 単位	620	
13	1167	訪看Ⅰ2准虐防夜複21					夜間早朝の場合 25% 加算		725	
13	1168	訪看Ⅰ2准虐防深複21					深夜の場合 50% 加算		830	

サービスコード 種類	サービスコード 項目	サービス内容略称	算定項目							合成単位数	算定単位
13	1211	訪看Ⅰ3	イ 指定訪問看護ステーション	(3) 30分以上1時間未満 823単位						823	1回につき
13	1212	訪看Ⅰ3夜					夜間早朝の場合 25% 加算			1,029	
13	1213	訪看Ⅰ3深					深夜の場合 50% 加算			1,235	
13	1217	訪看Ⅰ3複11						複数名訪問加算(Ⅰ)	2人以上による場合（30分未満） + 254単位	1,077	
13	1218	訪看Ⅰ3夜 複11					夜間早朝の場合 25% 加算			1,283	
13	1219	訪看Ⅰ3深 複11					深夜の場合 50% 加算			1,489	
13	1214	訪看Ⅰ3複12							2人以上による場合（30分以上） + 402単位	1,225	
13	1215	訪看Ⅰ3夜 複12					夜間早朝の場合 25% 加算			1,431	
13	1216	訪看Ⅰ3深 複12					深夜の場合 50% 加算			1,637	
13	1250	訪看Ⅰ3複21						複数名訪問加算(Ⅱ)	2人以上による場合（30分未満） + 201単位	1,024	
13	1251	訪看Ⅰ3夜 複21					夜間早朝の場合 25% 加算			1,230	
13	1252	訪看Ⅰ3深 複21					深夜の場合 50% 加算			1,436	
13	1253	訪看Ⅰ3複22							2人以上による場合（30分以上） + 317単位	1,140	
13	1254	訪看Ⅰ3夜 複22					夜間早朝の場合 25% 加算			1,346	
13	1255	訪看Ⅰ3深 複22					深夜の場合 50% 加算			1,552	
13	1271	訪看Ⅰ3虐防				高齢者虐待防止措置未実施減算 1% 減算				815	
13	1272	訪看Ⅰ3虐防 夜					夜間早朝の場合 25% 加算			1,019	
13	1273	訪看Ⅰ3虐防 深					深夜の場合 50% 加算			1,223	
13	1274	訪看Ⅰ3虐防 複11						複数名訪問加算(Ⅰ)	2人以上による場合（30分未満） + 254単位	1,069	
13	1275	訪看Ⅰ3虐防 夜 複11					夜間早朝の場合 25% 加算			1,273	
13	1276	訪看Ⅰ3虐防 深 複11					深夜の場合 50% 加算			1,477	
13	1277	訪看Ⅰ3虐防 複12							2人以上による場合（30分以上） + 402単位	1,217	
13	1278	訪看Ⅰ3虐防 夜 複12					夜間早朝の場合 25% 加算			1,421	
13	1279	訪看Ⅰ3虐防 深 複12					深夜の場合 50% 加算			1,625	
13	1280	訪看Ⅰ3虐防 複21						複数名訪問加算(Ⅱ)	2人以上による場合（30分未満） + 201単位	1,016	
13	1281	訪看Ⅰ3虐防 夜 複21					夜間早朝の場合 25% 加算			1,220	
13	1282	訪看Ⅰ3虐防 深 複21					深夜の場合 50% 加算			1,424	
13	1283	訪看Ⅰ3虐防 複22							2人以上による場合（30分以上） + 317単位	1,132	
13	1284	訪看Ⅰ3虐防 夜 複22					夜間早朝の場合 25% 加算			1,336	
13	1285	訪看Ⅰ3虐防 深 複22					深夜の場合 50% 加算			1,540	
13	1221	訪看Ⅰ3准			准看護師の場合 × 90%					741	
13	1222	訪看Ⅰ3准 夜					夜間早朝の場合 25% 加算			926	
13	1223	訪看Ⅰ3准 深					深夜の場合 50% 加算			1,112	
13	1227	訪看Ⅰ3准 複11						複数名訪問加算(Ⅰ)	2人以上による場合（30分未満） + 254単位	995	
13	1228	訪看Ⅰ3准 夜 複11					夜間早朝の場合 25% 加算			1,180	
13	1229	訪看Ⅰ3准 深 複11					深夜の場合 50% 加算			1,366	
13	1224	訪看Ⅰ3准 複12							2人以上による場合（30分以上） + 402単位	1,143	
13	1225	訪看Ⅰ3准 夜 複12					夜間早朝の場合 25% 加算			1,328	
13	1226	訪看Ⅰ3准 深 複12					深夜の場合 50% 加算			1,514	
13	1260	訪看Ⅰ3准 複21						複数名訪問加算(Ⅱ)	2人以上による場合（30分未満） + 201単位	942	
13	1261	訪看Ⅰ3准 夜 複21					夜間早朝の場合 25% 加算			1,127	
13	1262	訪看Ⅰ3准 深 複21					深夜の場合 50% 加算			1,313	
13	1263	訪看Ⅰ3准 複22							2人以上による場合（30分以上） + 317単位	1,058	
13	1264	訪看Ⅰ3准 夜 複22					夜間早朝の場合 25% 加算			1,243	
13	1265	訪看Ⅰ3准 深 複22					深夜の場合 50% 加算			1,429	
13	1286	訪看Ⅰ3准 虐防				高齢者虐待防止措置未実施減算 1% 減算				733	
13	1287	訪看Ⅰ3准 虐防 夜					夜間早朝の場合 25% 加算			916	
13	1288	訪看Ⅰ3准 虐防 深					深夜の場合 50% 加算			1,100	
13	1289	訪看Ⅰ3准 虐防 複11						複数名訪問加算(Ⅰ)	2人以上による場合（30分未満） + 254単位	987	
13	1290	訪看Ⅰ3准 虐防 夜 複11					夜間早朝の場合 25% 加算			1,170	
13	1291	訪看Ⅰ3准 虐防 深 複11					深夜の場合 50% 加算			1,354	
13	1292	訪看Ⅰ3准 虐防 複12							2人以上による場合（30分以上） + 402単位	1,135	
13	1293	訪看Ⅰ3准 虐防 夜 複12					夜間早朝の場合 25% 加算			1,318	
13	1294	訪看Ⅰ3准 虐防 深 複12					深夜の場合 50% 加算			1,502	
13	1295	訪看Ⅰ3准 虐防 複21						複数名訪問加算(Ⅱ)	2人以上による場合（30分未満） + 201単位	934	
13	1296	訪看Ⅰ3准 虐防 夜 複21					夜間早朝の場合 25% 加算			1,117	
13	1297	訪看Ⅰ3准 虐防 深 複21					深夜の場合 50% 加算			1,301	
13	1298	訪看Ⅰ3准 虐防 複22							2人以上による場合（30分以上） + 317単位	1,050	
13	1299	訪看Ⅰ3准 虐防 夜 複22					夜間早朝の場合 25% 加算			1,233	
13	1300	訪看Ⅰ3准 虐防 深 複22					深夜の場合 50% 加算			1,417	

サービスコード 種類	サービスコード 項目	サービス内容略称	算定項目						合成単位数	算定単位
13	1311	訪看Ｉ４	イ 指定訪問看護ステーション	(4) 1時間以上 1時間30分未満 1,128 単位					1,128	1回につき
13	1312	訪看Ｉ４夜				夜間早朝の場合 25% 加算			1,410	
13	1313	訪看Ｉ４深				深夜の場合 50% 加算			1,692	
13	1317	訪看Ｉ４複11					複数名訪問加算(Ⅰ)	2人以上による場合（30分未満） ＋ 254 単位	1,382	
13	1318	訪看Ｉ４夜 複11				夜間早朝の場合 25% 加算			1,664	
13	1319	訪看Ｉ４深 複11				深夜の場合 50% 加算			1,946	
13	1314	訪看Ｉ４複12						2人以上による場合（30分以上） ＋ 402 単位	1,530	
13	1315	訪看Ｉ４夜 複12				夜間早朝の場合 25% 加算			1,812	
13	1316	訪看Ｉ４深 複12				深夜の場合 50% 加算			2,094	
13	1430	訪看Ｉ４複21					複数名訪問加算(Ⅱ)	2人以上による場合（30分未満） ＋ 201 単位	1,329	
13	1431	訪看Ｉ４夜 複21				夜間早朝の場合 25% 加算			1,611	
13	1432	訪看Ｉ４深 複21				深夜の場合 50% 加算			1,893	
13	1433	訪看Ｉ４複22						2人以上による場合（30分以上） ＋ 317 単位	1,445	
13	1434	訪看Ｉ４夜 複22				夜間早朝の場合 25% 加算			1,727	
13	1435	訪看Ｉ４深 複22				深夜の場合 50% 加算			2,009	
13	1331	訪看Ｉ４長						1時間30分以上の訪問看護を行う場合 ＋ 300 単位	1,428	
13	1332	訪看Ｉ４夜 長				夜間早朝の場合 25% 加算			1,710	
13	1333	訪看Ｉ４深 長				深夜の場合 50% 加算			1,992	
13	1337	訪看Ｉ４複11 長					複数名訪問加算(Ⅰ)	2人以上による場合（30分未満） ＋ 254 単位	1,682	
13	1338	訪看Ｉ４夜 複11 長				夜間早朝の場合 25% 加算			1,964	
13	1339	訪看Ｉ４深 複11 長				深夜の場合 50% 加算			2,246	
13	1334	訪看Ｉ４複12 長						2人以上による場合（30分以上） ＋ 402 単位	1,830	
13	1335	訪看Ｉ４夜 複12 長				夜間早朝の場合 25% 加算			2,112	
13	1336	訪看Ｉ４深 複12 長				深夜の場合 50% 加算			2,394	
13	1440	訪看Ｉ４複21 長					複数名訪問加算(Ⅱ)	2人以上による場合（30分未満） ＋ 201 単位	1,629	
13	1441	訪看Ｉ４夜 複21 長				夜間早朝の場合 25% 加算			1,911	
13	1442	訪看Ｉ４深 複21 長				深夜の場合 50% 加算			2,193	
13	1443	訪看Ｉ４複22 長						2人以上による場合（30分以上） ＋ 317 単位	1,745	
13	1444	訪看Ｉ４夜 複22 長				夜間早朝の場合 25% 加算			2,027	
13	1445	訪看Ｉ４深 複22 長				深夜の場合 50% 加算			2,309	
13	1471	訪看Ｉ４虐防			高齢者虐待防止措置未実施減算 1% 減算				1,117	
13	1472	訪看Ｉ４虐防 夜				夜間早朝の場合 25% 加算			1,396	
13	1473	訪看Ｉ４虐防 深				深夜の場合 50% 加算			1,676	
13	1474	訪看Ｉ４虐防 複11					複数名訪問加算(Ⅰ)	2人以上による場合（30分未満） ＋ 254 単位	1,371	
13	1475	訪看Ｉ４虐防 夜 複11				夜間早朝の場合 25% 加算			1,650	
13	1476	訪看Ｉ４虐防 深 複11				深夜の場合 50% 加算			1,930	
13	1477	訪看Ｉ４虐防 複12						2人以上による場合（30分以上） ＋ 402 単位	1,519	
13	1478	訪看Ｉ４虐防 夜 複12				夜間早朝の場合 25% 加算			1,798	
13	1479	訪看Ｉ４虐防 深 複12				深夜の場合 50% 加算			2,078	
13	1480	訪看Ｉ４虐防 複21					複数名訪問加算(Ⅱ)	2人以上による場合（30分未満） ＋ 201 単位	1,318	
13	1481	訪看Ｉ４虐防 夜 複21				夜間早朝の場合 25% 加算			1,597	
13	1482	訪看Ｉ４虐防 深 複21				深夜の場合 50% 加算			1,877	
13	1483	訪看Ｉ４虐防 複22						2人以上による場合（30分以上） ＋ 317 単位	1,434	
13	1484	訪看Ｉ４虐防 夜 複22				夜間早朝の場合 25% 加算			1,713	
13	1485	訪看Ｉ４虐防 深 複22				深夜の場合 50% 加算			1,993	
13	1486	訪看Ｉ４虐防 長						1時間30分以上の訪問看護を行う場合 ＋ 300 単位	1,417	
13	1487	訪看Ｉ４虐防 夜 長				夜間早朝の場合 25% 加算			1,696	
13	1488	訪看Ｉ４虐防 深 長				深夜の場合 50% 加算			1,976	
13	1489	訪看Ｉ４虐防 複11 長					複数名訪問加算(Ⅰ)	2人以上による場合（30分未満） ＋ 254 単位	1,671	
13	1490	訪看Ｉ４虐防 夜 複11 長				夜間早朝の場合 25% 加算			1,950	
13	1491	訪看Ｉ４虐防 深 複11 長				深夜の場合 50% 加算			2,230	
13	1492	訪看Ｉ４虐防 複12 長						2人以上による場合（30分以上） ＋ 402 単位	1,819	
13	1493	訪看Ｉ４虐防 夜 複12 長				夜間早朝の場合 25% 加算			2,098	
13	1494	訪看Ｉ４虐防 深 複12 長				深夜の場合 50% 加算			2,378	
13	1495	訪看Ｉ４虐防 複21 長					複数名訪問加算(Ⅱ)	2人以上による場合（30分未満） ＋ 201 単位	1,618	
13	1496	訪看Ｉ４虐防 夜 複21 長				夜間早朝の場合 25% 加算			1,897	
13	1497	訪看Ｉ４虐防 深 複21 長				深夜の場合 50% 加算			2,177	
13	1498	訪看Ｉ４虐防 複22 長						2人以上による場合（30分以上） ＋ 317 単位	1,734	
13	1499	訪看Ｉ４虐防 夜 複22 長				夜間早朝の場合 25% 加算			2,013	
13	1500	訪看Ｉ４虐防 深 複22 長				深夜の場合 50% 加算			2,293	

サービスコード		サービス内容略称	算定項目								合成	算定
種類	項目										単位数	単位
13	1321	訪看I4准	イ指定訪問看護ステーション	(4) 1時間以上1時間30分未満 1,128単位	准看護師の場合 ×90%						1,015	1回につき
13	1322	訪看I4准夜					夜間早朝の場合 25% 加算				1,269	
13	1323	訪看I4准深					深夜の場合 50% 加算				1,523	
13	1327	訪看I4准複11						複数名訪問加算(I)	2人以上による場合(30分未満) + 254単位		1,269	
13	1328	訪看I4准夜複11					夜間早朝の場合 25% 加算				1,523	
13	1329	訪看I4准深複11					深夜の場合 50% 加算				1,777	
13	1324	訪看I4准複12							2人以上による場合(30分以上) + 402単位		1,417	
13	1325	訪看I4准夜複12					夜間早朝の場合 25% 加算				1,671	
13	1326	訪看I4准深複12					深夜の場合 50% 加算				1,925	
13	1450	訪看I4准複21						複数名訪問加算(II)	2人以上による場合(30分未満) + 201単位		1,216	
13	1451	訪看I4准夜複21					夜間早朝の場合 25% 加算				1,470	
13	1452	訪看I4准深複21					深夜の場合 50% 加算				1,724	
13	1453	訪看I4准複22							2人以上による場合(30分以上) + 317単位		1,332	
13	1454	訪看I4准夜複22					夜間早朝の場合 25% 加算				1,586	
13	1455	訪看I4准深複22					深夜の場合 50% 加算				1,840	
13	1341	訪看I4准長								1時間30分以上の訪問看護を行う場合 + 300単位	1,315	
13	1342	訪看I4准夜長					夜間早朝の場合 25% 加算				1,569	
13	1343	訪看I4准深長					深夜の場合 50% 加算				1,823	
13	1347	訪看I4准複11長						複数名訪問加算(I)	2人以上による場合(30分未満) + 254単位		1,569	
13	1348	訪看I4准夜複11長					夜間早朝の場合 25% 加算				1,823	
13	1349	訪看I4准深複11長					深夜の場合 50% 加算				2,077	
13	1344	訪看I4准複12長							2人以上による場合(30分以上) + 402単位		1,717	
13	1345	訪看I4准夜複12長					夜間早朝の場合 25% 加算				1,971	
13	1346	訪看I4准深複12長					深夜の場合 50% 加算				2,225	
13	1460	訪看I4准複21長						複数名訪問加算(II)	2人以上による場合(30分未満) + 201単位		1,516	
13	1461	訪看I4准夜複21長					夜間早朝の場合 25% 加算				1,770	
13	1462	訪看I4准深複21長					深夜の場合 50% 加算				2,024	
13	1463	訪看I4准複22長							2人以上による場合(30分以上) + 317単位		1,632	
13	1464	訪看I4准夜複22長					夜間早朝の場合 25% 加算				1,886	
13	1465	訪看I4准深複22長					深夜の場合 50% 加算				2,140	
13	1561	訪看I4准虐防				高齢者虐待防止措置未実施減算 1% 減算					1,004	
13	1562	訪看I4准虐防夜					夜間早朝の場合 25% 加算				1,255	
13	1563	訪看I4准虐防深					深夜の場合 50% 加算				1,506	
13	1564	訪看I4准虐防複11						複数名訪問加算(I)	2人以上による場合(30分未満) + 254単位		1,258	
13	1565	訪看I4准虐防夜複11					夜間早朝の場合 25% 加算				1,509	
13	1566	訪看I4准虐防深複11					深夜の場合 50% 加算				1,760	
13	1567	訪看I4准虐防複12							2人以上による場合(30分以上) + 402単位		1,406	
13	1568	訪看I4准虐防夜複12					夜間早朝の場合 25% 加算				1,657	
13	1569	訪看I4准虐防深複12					深夜の場合 50% 加算				1,908	
13	1570	訪看I4准虐防複21						複数名訪問加算(II)	2人以上による場合(30分未満) + 201単位		1,205	
13	1571	訪看I4准虐防夜複21					夜間早朝の場合 25% 加算				1,456	
13	1572	訪看I4准虐防深複21					深夜の場合 50% 加算				1,707	
13	1573	訪看I4准虐防複22							2人以上による場合(30分以上) + 317単位		1,321	
13	1574	訪看I4准虐防夜複22					夜間早朝の場合 25% 加算				1,572	
13	1575	訪看I4准虐防深複22					深夜の場合 50% 加算				1,823	
13	1576	訪看I4准虐防長								1時間30分以上の訪問看護を行う場合 + 300単位	1,304	
13	1577	訪看I4准虐防夜長					夜間早朝の場合 25% 加算				1,555	
13	1578	訪看I4准虐防深長					深夜の場合 50% 加算				1,806	
13	1579	訪看I4准虐防複11長						複数名訪問加算(I)	2人以上による場合(30分未満) + 254単位		1,558	
13	1580	訪看I4准虐防夜複11長					夜間早朝の場合 25% 加算				1,809	
13	1581	訪看I4准虐防深複11長					深夜の場合 50% 加算				2,060	
13	1582	訪看I4准虐防複12長							2人以上による場合(30分以上) + 402単位		1,706	
13	1583	訪看I4准虐防夜複12長					夜間早朝の場合 25% 加算				1,957	
13	1584	訪看I4准虐防深複12長					深夜の場合 50% 加算				2,208	
13	1585	訪看I4准虐防複21長						複数名訪問加算(II)	2人以上による場合(30分未満) + 201単位		1,505	
13	1586	訪看I4准虐防夜複21長					夜間早朝の場合 25% 加算				1,756	
13	1587	訪看I4准虐防深複21長					深夜の場合 50% 加算				2,007	
13	1588	訪看I4准虐防複22長							2人以上による場合(30分以上) + 317単位		1,621	
13	1589	訪看I4准虐防夜複22長					夜間早朝の場合 25% 加算				1,872	
13	1590	訪看I4准虐防深複22長					深夜の場合 50% 加算				2,123	

サービスコード 種類	サービスコード 項目	サービス内容略称	算定項目							合成単位数	算定単位
13	1501	訪看Ⅰ5	イ 指定訪問看護ステーション	(5) 理学療法士、作業療法士又は言語聴覚士の場合 294 単位						294	1回につき
13	1502	訪看Ⅰ5夜					夜間早朝の場合 25% 加算			368	
13	1503	訪看Ⅰ5深					深夜の場合 50% 加算			441	
13	1504	訪看Ⅰ5複11						複数名訪問加算(Ⅰ)	2人以上による場合(30分未満)	548	
13	1505	訪看Ⅰ5夜複11					夜間早朝の場合 25% 加算			622	
13	1506	訪看Ⅰ5深複11					深夜の場合 50% 加算		＋ 254 単位	695	
13	1507	訪看Ⅰ5複12							2人以上による場合(30分以上)	696	
13	1508	訪看Ⅰ5夜複12					夜間早朝の場合 25% 加算			770	
13	1509	訪看Ⅰ5深複12					深夜の場合 50% 加算		＋ 402 単位	843	
13	1540	訪看Ⅰ5複21						複数名訪問加算(Ⅱ)	2人以上による場合(30分未満)	495	
13	1541	訪看Ⅰ5夜複21					夜間早朝の場合 25% 加算			569	
13	1542	訪看Ⅰ5深複21					深夜の場合 50% 加算		＋ 201 単位	642	
13	1543	訪看Ⅰ5複22							2人以上による場合(30分以上)	611	
13	1544	訪看Ⅰ5夜複22					夜間早朝の場合 25% 加算			685	
13	1545	訪看Ⅰ5深複22					深夜の場合 50% 加算		＋ 317 単位	758	
13	1591	訪看Ⅰ5虐防				高齢者虐待防止措置未実施減算 1% 減算				291	
13	1592	訪看Ⅰ5虐防夜					夜間早朝の場合 25% 加算			364	
13	1593	訪看Ⅰ5虐防深					深夜の場合 50% 加算			437	
13	1594	訪看Ⅰ5虐防複11						複数名訪問加算(Ⅰ)	2人以上による場合(30分未満)	545	
13	1595	訪看Ⅰ5虐防夜複11					夜間早朝の場合 25% 加算			618	
13	1596	訪看Ⅰ5虐防深複11					深夜の場合 50% 加算		＋ 254 単位	691	
13	1597	訪看Ⅰ5虐防複12							2人以上による場合(30分以上)	693	
13	1598	訪看Ⅰ5虐防夜複12					夜間早朝の場合 25% 加算			766	
13	1599	訪看Ⅰ5虐防深複12					深夜の場合 50% 加算		＋ 402 単位	839	
13	1600	訪看Ⅰ5虐防複21						複数名訪問加算(Ⅱ)	2人以上による場合(30分未満)	492	
13	1601	訪看Ⅰ5虐防夜複21					夜間早朝の場合 25% 加算			565	
13	1602	訪看Ⅰ5虐防深複21					深夜の場合 50% 加算		＋ 201 単位	638	
13	1603	訪看Ⅰ5虐防複22							2人以上による場合(30分以上)	608	
13	1604	訪看Ⅰ5虐防夜複22					夜間早朝の場合 25% 加算			681	
13	1605	訪看Ⅰ5虐防深複22					深夜の場合 50% 加算		＋ 317 単位	754	
13	1521	訪看Ⅰ5・2超			1日に2回を越えて実施する場合 × 90%					265	
13	1522	訪看Ⅰ5・2超夜					夜間早朝の場合 25% 加算			331	
13	1523	訪看Ⅰ5・2超深					深夜の場合 50% 加算			398	
13	1524	訪看Ⅰ5・2超複11						複数名訪問加算(Ⅰ)	2人以上による場合(30分未満)	519	
13	1525	訪看Ⅰ5・2超夜複11					夜間早朝の場合 25% 加算			585	
13	1526	訪看Ⅰ5・2超深複11					深夜の場合 50% 加算		＋ 254 単位	652	
13	1527	訪看Ⅰ5・2超複12							2人以上による場合(30分以上)	667	
13	1528	訪看Ⅰ5・2超夜複12					夜間早朝の場合 25% 加算			733	
13	1529	訪看Ⅰ5・2超深複12					深夜の場合 50% 加算		＋ 402 単位	800	
13	1550	訪看Ⅰ5・2超複21						複数名訪問加算(Ⅱ)	2人以上による場合(30分未満)	466	
13	1551	訪看Ⅰ5・2超夜複21					夜間早朝の場合 25% 加算			532	
13	1552	訪看Ⅰ5・2超深複21					深夜の場合 50% 加算		＋ 201 単位	599	
13	1553	訪看Ⅰ5・2超複22							2人以上による場合(30分以上)	582	
13	1554	訪看Ⅰ5・2超夜複22					夜間早朝の場合 25% 加算			648	
13	1555	訪看Ⅰ5・2超深複22					深夜の場合 50% 加算		＋ 317 単位	715	
13	1606	訪看Ⅰ5・2超虐防				高齢者虐待防止措置未実施減算 1% 減算				262	
13	1607	訪看Ⅰ5・2超虐防夜					夜間早朝の場合 25% 加算			328	
13	1608	訪看Ⅰ5・2超虐防深					深夜の場合 50% 加算			393	
13	1609	訪看Ⅰ5・2超虐防複11						複数名訪問加算(Ⅰ)	2人以上による場合(30分未満)	516	
13	1610	訪看Ⅰ5・2超虐防夜複11					夜間早朝の場合 25% 加算			582	
13	1611	訪看Ⅰ5・2超虐防深複11					深夜の場合 50% 加算		＋ 254 単位	647	
13	1612	訪看Ⅰ5・2超虐防複12							2人以上による場合(30分以上)	664	
13	1613	訪看Ⅰ5・2超虐防夜複12					夜間早朝の場合 25% 加算			730	
13	1614	訪看Ⅰ5・2超虐防深複12					深夜の場合 50% 加算		＋ 402 単位	795	
13	1615	訪看Ⅰ5・2超虐防複21						複数名訪問加算(Ⅱ)	2人以上による場合(30分未満)	463	
13	1616	訪看Ⅰ5・2超虐防夜複21					夜間早朝の場合 25% 加算			529	
13	1617	訪看Ⅰ5・2超虐防深複21					深夜の場合 50% 加算		＋ 201 単位	594	
13	1618	訪看Ⅰ5・2超虐防複22							2人以上による場合(30分以上)	579	
13	1619	訪看Ⅰ5・2超虐防夜複22					夜間早朝の場合 25% 加算			645	
13	1620	訪看Ⅰ5・2超虐防深複22					深夜の場合 50% 加算		＋ 317 単位	710	

サービスコード 種類	サービスコード 項目	サービス内容略称	算定項目						合成単位数	算定単位
13	2010	訪看Ⅱ1	ロ 病院又は診療所	(1) 20分未満 266 単位 週に1回以上、20分以上の保健師又は看護師による訪問を行った場合算定可能					266	1回につき
13	2015	訪看Ⅱ1 夜					夜間早朝の場合 25% 加算		333	
13	2016	訪看Ⅱ1 深					深夜の場合 50% 加算		399	
13	2017	訪看Ⅱ1 複11						複数名訪問加算(Ⅰ) 2人以上による場合(30分未満) + 254 単位	520	
13	2018	訪看Ⅱ1 夜 複11					夜間早朝の場合 25% 加算		587	
13	2019	訪看Ⅱ1 深 複11					深夜の場合 50% 加算		653	
13	2040	訪看Ⅱ1 複21						複数名訪問加算(Ⅱ) 2人以上による場合(30分未満) + 201 単位	467	
13	2041	訪看Ⅱ1 夜 複21					夜間早朝の場合 25% 加算		534	
13	2042	訪看Ⅱ1 深 複21					深夜の場合 50% 加算		600	
13	2051	訪看Ⅱ1 虐防				高齢者虐待防止措置未実施減算 1% 減算			263	
13	2052	訪看Ⅱ1 虐防 夜					夜間早朝の場合 25% 加算		329	
13	2053	訪看Ⅱ1 虐防 深					深夜の場合 50% 加算		395	
13	2054	訪看Ⅱ1 虐防 複11						複数名訪問加算(Ⅰ) 2人以上による場合(30分未満) + 254 単位	517	
13	2055	訪看Ⅱ1 虐防 夜 複11					夜間早朝の場合 25% 加算		583	
13	2056	訪看Ⅱ1 虐防 深 複11					深夜の場合 50% 加算		649	
13	2057	訪看Ⅱ1 虐防 複21						複数名訪問加算(Ⅱ) 2人以上による場合(30分未満) + 201 単位	464	
13	2058	訪看Ⅱ1 虐防 夜 複21					夜間早朝の場合 25% 加算		530	
13	2059	訪看Ⅱ1 虐防 深 複21					深夜の場合 50% 加算		596	
13	2020	訪看Ⅱ1 准			准看護師の場合 × 90%				239	
13	2025	訪看Ⅱ1 准 夜					夜間早朝の場合 25% 加算		299	
13	2026	訪看Ⅱ1 准 深					深夜の場合 50% 加算		359	
13	2027	訪看Ⅱ1 准 複11						複数名訪問加算(Ⅰ) 2人以上による場合(30分未満) + 254 単位	493	
13	2028	訪看Ⅱ1 准 夜 複11					夜間早朝の場合 25% 加算		553	
13	2029	訪看Ⅱ1 准 深 複11					深夜の場合 50% 加算		613	
13	2030	訪看Ⅱ1 准 複21						複数名訪問加算(Ⅱ) 2人以上による場合(30分未満) + 201 単位	440	
13	2031	訪看Ⅱ1 准 夜 複21					夜間早朝の場合 25% 加算		500	
13	2032	訪看Ⅱ1 准 深 複21					深夜の場合 50% 加算		560	
13	2060	訪看Ⅱ1 准 虐防				高齢者虐待防止措置未実施減算 1% 減算			236	
13	2061	訪看Ⅱ1 准 虐防 夜					夜間早朝の場合 25% 加算		295	
13	2062	訪看Ⅱ1 准 虐防 深					深夜の場合 50% 加算		354	
13	2063	訪看Ⅱ1 准 虐防 複11						複数名訪問加算(Ⅰ) 2人以上による場合(30分未満) + 254 単位	490	
13	2064	訪看Ⅱ1 准 虐防 夜 複11					夜間早朝の場合 25% 加算		549	
13	2065	訪看Ⅱ1 准 虐防 深 複11					深夜の場合 50% 加算		608	
13	2066	訪看Ⅱ1 准 虐防 複21						複数名訪問加算(Ⅱ) 2人以上による場合(30分未満) + 201 単位	437	
13	2067	訪看Ⅱ1 准 虐防 夜 複21					夜間早朝の場合 25% 加算		496	
13	2068	訪看Ⅱ1 准 虐防 深 複21					深夜の場合 50% 加算		555	
13	2111	訪看Ⅱ2		(2) 30分未満 399 単位					399	
13	2112	訪看Ⅱ2 夜					夜間早朝の場合 25% 加算		499	
13	2113	訪看Ⅱ2 深					深夜の場合 50% 加算		599	
13	2114	訪看Ⅱ2 複11						複数名訪問加算(Ⅰ) 2人以上による場合(30分未満) + 254 単位	653	
13	2115	訪看Ⅱ2 夜 複11					夜間早朝の場合 25% 加算		753	
13	2116	訪看Ⅱ2 深 複11					深夜の場合 50% 加算		853	
13	2130	訪看Ⅱ2 複21						複数名訪問加算(Ⅱ) 2人以上による場合(30分未満) + 201 単位	600	
13	2131	訪看Ⅱ2 夜 複21					夜間早朝の場合 25% 加算		700	
13	2132	訪看Ⅱ2 深 複21					深夜の場合 50% 加算		800	
13	2151	訪看Ⅱ2 虐防				高齢者虐待防止措置未実施減算 1% 減算			395	
13	2152	訪看Ⅱ2 虐防 夜					夜間早朝の場合 25% 加算		494	
13	2153	訪看Ⅱ2 虐防 深					深夜の場合 50% 加算		593	
13	2154	訪看Ⅱ2 虐防 複11						複数名訪問加算(Ⅰ) 2人以上による場合(30分未満) + 254 単位	649	
13	2155	訪看Ⅱ2 虐防 夜 複11					夜間早朝の場合 25% 加算		748	
13	2156	訪看Ⅱ2 虐防 深 複11					深夜の場合 50% 加算		847	
13	2157	訪看Ⅱ2 虐防 複21						複数名訪問加算(Ⅱ) 2人以上による場合(30分未満) + 201 単位	596	
13	2158	訪看Ⅱ2 虐防 夜 複21					夜間早朝の場合 25% 加算		695	
13	2159	訪看Ⅱ2 虐防 深 複21					深夜の場合 50% 加算		794	
13	2121	訪看Ⅱ2 准			准看護師の場合 × 90%				359	
13	2122	訪看Ⅱ2 准 夜					夜間早朝の場合 25% 加算		449	
13	2123	訪看Ⅱ2 准 深					深夜の場合 50% 加算		539	
13	2124	訪看Ⅱ2 准 複11						複数名訪問加算(Ⅰ) 2人以上による場合(30分未満) + 254 単位	613	
13	2125	訪看Ⅱ2 准 夜 複11					夜間早朝の場合 25% 加算		703	
13	2126	訪看Ⅱ2 准 深 複11					深夜の場合 50% 加算		793	
13	2140	訪看Ⅱ2 准 複21						複数名訪問加算(Ⅱ) 2人以上による場合(30分未満) + 201 単位	560	
13	2141	訪看Ⅱ2 准 夜 複21					夜間早朝の場合 25% 加算		650	
13	2142	訪看Ⅱ2 准 深 複21					深夜の場合 50% 加算		740	
13	2160	訪看Ⅱ2 准 虐防				高齢者虐待防止措置未実施減算 1% 減算			355	
13	2161	訪看Ⅱ2 准 虐防 夜					夜間早朝の場合 25% 加算		444	
13	2162	訪看Ⅱ2 准 虐防 深					深夜の場合 50% 加算		533	
13	2163	訪看Ⅱ2 准 虐防 複11						複数名訪問加算(Ⅰ) 2人以上による場合(30分未満) + 254 単位	609	
13	2164	訪看Ⅱ2 准 虐防 夜 複11					夜間早朝の場合 25% 加算		698	
13	2165	訪看Ⅱ2 准 虐防 深 複11					深夜の場合 50% 加算		787	
13	2166	訪看Ⅱ2 准 虐防 複21						複数名訪問加算(Ⅱ) 2人以上による場合(30分未満) + 201 単位	556	
13	2167	訪看Ⅱ2 准 虐防 夜 複21					夜間早朝の場合 25% 加算		645	
13	2168	訪看Ⅱ2 准 虐防 深 複21					深夜の場合 50% 加算		734	

サービスコード 種類	項目	サービス内容略称	算定項目							合成単位数	算定単位
13	2211	訪看Ⅱ３	ロ 病院又は診療所	(3) 30分以上1時間未満 574 単位						574	1回につき
13	2212	訪看Ⅱ３夜					夜間早朝の場合 25% 加算			718	
13	2213	訪看Ⅱ３深					深夜の場合 50% 加算			861	
13	2217	訪看Ⅱ３複11						複数名訪問加算(Ⅰ)	2人以上による場合(30分未満) + 254 単位	828	
13	2218	訪看Ⅱ３夜 複11					夜間早朝の場合 25% 加算			972	
13	2219	訪看Ⅱ３深 複11					深夜の場合 50% 加算			1,115	
13	2214	訪看Ⅱ３複12							2人以上による場合(30分以上) + 402 単位	976	
13	2215	訪看Ⅱ３夜 複12					夜間早朝の場合 25% 加算			1,120	
13	2216	訪看Ⅱ３深 複12					深夜の場合 50% 加算			1,263	
13	2230	訪看Ⅱ３複21						複数名訪問加算(Ⅱ)	2人以上による場合(30分未満) + 201 単位	775	
13	2231	訪看Ⅱ３夜 複21					夜間早朝の場合 25% 加算			919	
13	2232	訪看Ⅱ３深 複21					深夜の場合 50% 加算			1,062	
13	2233	訪看Ⅱ３複22							2人以上による場合(30分以上) + 317 単位	891	
13	2234	訪看Ⅱ３夜 複22					夜間早朝の場合 25% 加算			1,035	
13	2235	訪看Ⅱ３深 複22					深夜の場合 50% 加算			1,178	
13	2251	訪看Ⅱ３虐防				高齢者虐待防止措置未実施減算 1% 減算				568	
13	2252	訪看Ⅱ３虐防 夜					夜間早朝の場合 25% 加算			710	
13	2253	訪看Ⅱ３虐防 深					深夜の場合 50% 加算			852	
13	2254	訪看Ⅱ３虐防 複11						複数名訪問加算(Ⅰ)	2人以上による場合(30分未満) + 254 単位	822	
13	2255	訪看Ⅱ３虐防 夜 複11					夜間早朝の場合 25% 加算			964	
13	2256	訪看Ⅱ３虐防 深 複11					深夜の場合 50% 加算			1,106	
13	2257	訪看Ⅱ３虐防 複12							2人以上による場合(30分以上) + 402 単位	970	
13	2258	訪看Ⅱ３虐防 夜 複12					夜間早朝の場合 25% 加算			1,112	
13	2259	訪看Ⅱ３虐防 深 複12					深夜の場合 50% 加算			1,254	
13	2260	訪看Ⅱ３虐防 複21						複数名訪問加算(Ⅱ)	2人以上による場合(30分未満) + 201 単位	769	
13	2261	訪看Ⅱ３虐防 夜 複21					夜間早朝の場合 25% 加算			911	
13	2262	訪看Ⅱ３虐防 深 複21					深夜の場合 50% 加算			1,053	
13	2263	訪看Ⅱ３虐防 複22							2人以上による場合(30分以上) + 317 単位	885	
13	2264	訪看Ⅱ３虐防 夜 複22					夜間早朝の場合 25% 加算			1,027	
13	2265	訪看Ⅱ３虐防 深 複22					深夜の場合 50% 加算			1,169	
13	2221	訪看Ⅱ３准			准看護師の場合 × 90%					517	
13	2222	訪看Ⅱ３准 夜					夜間早朝の場合 25% 加算			646	
13	2223	訪看Ⅱ３准 深					深夜の場合 50% 加算			776	
13	2227	訪看Ⅱ３准 複11						複数名訪問加算(Ⅰ)	2人以上による場合(30分未満) + 254 単位	771	
13	2228	訪看Ⅱ３准 夜 複11					夜間早朝の場合 25% 加算			900	
13	2229	訪看Ⅱ３准 深 複11					深夜の場合 50% 加算			1,030	
13	2224	訪看Ⅱ３准 複12							2人以上による場合(30分以上) + 402 単位	919	
13	2225	訪看Ⅱ３准 夜 複12					夜間早朝の場合 25% 加算			1,048	
13	2226	訪看Ⅱ３准 深 複12					深夜の場合 50% 加算			1,178	
13	2240	訪看Ⅱ３准 複21						複数名訪問加算(Ⅱ)	2人以上による場合(30分未満) + 201 単位	718	
13	2241	訪看Ⅱ３准 夜 複21					夜間早朝の場合 25% 加算			847	
13	2242	訪看Ⅱ３准 深 複21					深夜の場合 50% 加算			977	
13	2243	訪看Ⅱ３准 複22							2人以上による場合(30分以上) + 317 単位	834	
13	2244	訪看Ⅱ３准 夜 複22					夜間早朝の場合 25% 加算			963	
13	2245	訪看Ⅱ３准 深 複22					深夜の場合 50% 加算			1,093	
13	2266	訪看Ⅱ３准 虐防				高齢者虐待防止措置未実施減算 1% 減算				511	
13	2267	訪看Ⅱ３准 虐防 夜					夜間早朝の場合 25% 加算			639	
13	2268	訪看Ⅱ３准 虐防 深					深夜の場合 50% 加算			767	
13	2269	訪看Ⅱ３准 虐防 複11						複数名訪問加算(Ⅰ)	2人以上による場合(30分未満) + 254 単位	765	
13	2270	訪看Ⅱ３准 虐防 夜 複11					夜間早朝の場合 25% 加算			893	
13	2271	訪看Ⅱ３准 虐防 深 複11					深夜の場合 50% 加算			1,021	
13	2272	訪看Ⅱ３准 虐防 複12							2人以上による場合(30分以上) + 402 単位	913	
13	2273	訪看Ⅱ３准 虐防 夜 複12					夜間早朝の場合 25% 加算			1,041	
13	2274	訪看Ⅱ３准 虐防 深 複12					深夜の場合 50% 加算			1,169	
13	2275	訪看Ⅱ３准 虐防 複21						複数名訪問加算(Ⅱ)	2人以上による場合(30分未満) + 201 単位	712	
13	2276	訪看Ⅱ３准 虐防 夜 複21					夜間早朝の場合 25% 加算			840	
13	2277	訪看Ⅱ３准 虐防 深 複21					深夜の場合 50% 加算			968	
13	2278	訪看Ⅱ３准 虐防 複22							2人以上による場合(30分以上) + 317 単位	828	
13	2279	訪看Ⅱ３准 虐防 夜 複22					夜間早朝の場合 25% 加算			956	
13	2280	訪看Ⅱ３准 虐防 深 複22					深夜の場合 50% 加算			1,084	

種類	項目	サービス内容略称	算定項目						合成単位数	算定単位
13	2311	訪看II４	ロ 病院又は診療所	(4) 1時間以上 1時間30分未満 844 単位					844	1回につき
13	2312	訪看II４夜				夜間早朝の場合 25% 加算			1,055	
13	2313	訪看II４深				深夜の場合 50% 加算			1,266	
13	2317	訪看II４複11					複数名訪問加算(I) 2人以上による場合(30分未満) + 254 単位		1,098	
13	2318	訪看II４夜 複11				夜間早朝の場合 25% 加算			1,309	
13	2319	訪看II４深 複11				深夜の場合 50% 加算			1,520	
13	2314	訪看II４複12					2人以上による場合(30分以上) + 402 単位		1,246	
13	2315	訪看II４夜 複12				夜間早朝の場合 25% 加算			1,457	
13	2316	訪看II４深 複12				深夜の場合 50% 加算			1,668	
13	2430	訪看II４複21					複数名訪問加算(II) 2人以上による場合(30分未満) + 201 単位		1,045	
13	2431	訪看II４夜 複21				夜間早朝の場合 25% 加算			1,256	
13	2432	訪看II４深 複21				深夜の場合 50% 加算			1,467	
13	2433	訪看II４複22					2人以上による場合(30分以上) + 317 単位		1,161	
13	2434	訪看II４夜 複22				夜間早朝の場合 25% 加算			1,372	
13	2435	訪看II４深 複22				深夜の場合 50% 加算			1,583	
13	2331	訪看II４長						1時間 30分以上の訪問看護を行う場合 + 300 単位	1,144	
13	2332	訪看II４夜 長				夜間早朝の場合 25% 加算			1,355	
13	2333	訪看II４深 長				深夜の場合 50% 加算			1,566	
13	2337	訪看II４複11長					複数名訪問加算(I) 2人以上による場合(30分未満) + 254 単位		1,398	
13	2338	訪看II４夜 複11長				夜間早朝の場合 25% 加算			1,609	
13	2339	訪看II４深 複11長				深夜の場合 50% 加算			1,820	
13	2334	訪看II４複12長					2人以上による場合(30分以上) + 402 単位		1,546	
13	2335	訪看II４夜 複12長				夜間早朝の場合 25% 加算			1,757	
13	2336	訪看II４深 複12長				深夜の場合 50% 加算			1,968	
13	2440	訪看II４複21長					複数名訪問加算(II) 2人以上による場合(30分未満) + 201 単位		1,345	
13	2441	訪看II４夜 複21長				夜間早朝の場合 25% 加算			1,556	
13	2442	訪看II４深 複21長				深夜の場合 50% 加算			1,767	
13	2443	訪看II４複22長					2人以上による場合(30分以上) + 317 単位		1,461	
13	2444	訪看II４夜 複22長				夜間早朝の場合 25% 加算			1,672	
13	2445	訪看II４深 複22長				深夜の場合 50% 加算			1,883	
13	2471	訪看II４虐防			高齢者虐待防止措置未実施減算 1% 減算				836	
13	2472	訪看II４虐防 夜				夜間早朝の場合 25% 加算			1,045	
13	2473	訪看II４虐防 深				深夜の場合 50% 加算			1,254	
13	2474	訪看II４虐防 複11					複数名訪問加算(I) 2人以上による場合(30分未満) + 254 単位		1,090	
13	2475	訪看II４虐防 夜 複11				夜間早朝の場合 25% 加算			1,299	
13	2476	訪看II４虐防 深 複11				深夜の場合 50% 加算			1,508	
13	2477	訪看II４虐防 複12					2人以上による場合(30分以上) + 402 単位		1,238	
13	2478	訪看II４虐防 夜 複12				夜間早朝の場合 25% 加算			1,447	
13	2479	訪看II４虐防 深 複12				深夜の場合 50% 加算			1,656	
13	2480	訪看II４虐防 複21					複数名訪問加算(II) 2人以上による場合(30分未満) + 201 単位		1,037	
13	2481	訪看II４虐防 夜 複21				夜間早朝の場合 25% 加算			1,246	
13	2482	訪看II４虐防 深 複21				深夜の場合 50% 加算			1,455	
13	2483	訪看II４虐防 複22					2人以上による場合(30分以上) + 317 単位		1,153	
13	2484	訪看II４虐防 夜 複22				夜間早朝の場合 25% 加算			1,362	
13	2485	訪看II４虐防 深 複22				深夜の場合 50% 加算			1,571	
13	2486	訪看II４虐防 長						1時間 30分以上の訪問看護を行う場合 + 300 単位	1,136	
13	2487	訪看II４虐防 夜 長				夜間早朝の場合 25% 加算			1,345	
13	2488	訪看II４虐防 深 長				深夜の場合 50% 加算			1,554	
13	2489	訪看II４虐防 複11長					複数名訪問加算(I) 2人以上による場合(30分未満) + 254 単位		1,390	
13	2490	訪看II４虐防 夜 複11長				夜間早朝の場合 25% 加算			1,599	
13	2491	訪看II４虐防 深 複11長				深夜の場合 50% 加算			1,808	
13	2492	訪看II４虐防 複12長					2人以上による場合(30分以上) + 402 単位		1,538	
13	2493	訪看II４虐防 夜 複12長				夜間早朝の場合 25% 加算			1,747	
13	2494	訪看II４虐防 深 複12長				深夜の場合 50% 加算			1,956	
13	2495	訪看II４虐防 複21長					複数名訪問加算(II) 2人以上による場合(30分未満) + 201 単位		1,337	
13	2496	訪看II４虐防 夜 複21長				夜間早朝の場合 25% 加算			1,546	
13	2497	訪看II４虐防 深 複21長				深夜の場合 50% 加算			1,755	
13	2498	訪看II４虐防 複22長					2人以上による場合(30分以上) + 317 単位		1,453	
13	2499	訪看II４虐防 夜 複22長				夜間早朝の場合 25% 加算			1,662	
13	2500	訪看II４虐防 深 複22長				深夜の場合 50% 加算			1,871	

サービスコード		サービス内容略称	算定項目								合成単位数	算定単位
種類	項目											
13	2321	訪看Ⅱ4・准	ロ 病院又は診療所	(4) 1時間以上1時間30分未満 844 単位	准看護師の場合 × 90%						760	1回につき
13	2322	訪看Ⅱ4・准 夜					夜間早朝の場合 25% 加算				950	
13	2323	訪看Ⅱ4・准 深					深夜の場合 50% 加算				1,140	
13	2327	訪看Ⅱ4・准 複11						複数名訪問加算(Ⅰ)	2人以上による場合(30分未満) + 254 単位		1,014	
13	2328	訪看Ⅱ4・准 夜 複11					夜間早朝の場合 25% 加算				1,204	
13	2329	訪看Ⅱ4・准 深 複11					深夜の場合 50% 加算				1,394	
13	2324	訪看Ⅱ4・准 複12							2人以上による場合(30分以上) + 402 単位		1,162	
13	2325	訪看Ⅱ4・准 夜 複12					夜間早朝の場合 25% 加算				1,352	
13	2326	訪看Ⅱ4・准 深 複12					深夜の場合 50% 加算				1,542	
13	2450	訪看Ⅱ4・准 複21						複数名訪問加算(Ⅱ)	2人以上による場合(30分未満) + 201 単位		961	
13	2451	訪看Ⅱ4・准 夜 複21					夜間早朝の場合 25% 加算				1,151	
13	2452	訪看Ⅱ4・准 深 複21					深夜の場合 50% 加算				1,341	
13	2453	訪看Ⅱ4・准 複22							2人以上による場合(30分以上) + 317 単位		1,077	
13	2454	訪看Ⅱ4・准 夜 複22					夜間早朝の場合 25% 加算				1,267	
13	2455	訪看Ⅱ4・准 深 複22					深夜の場合 50% 加算				1,457	
13	2341	訪看Ⅱ4・准・長								1時間30分以上の訪問看護を行う場合 + 300 単位	1,060	
13	2342	訪看Ⅱ4・准 夜・長					夜間早朝の場合 25% 加算				1,250	
13	2343	訪看Ⅱ4・准 深・長					深夜の場合 50% 加算				1,440	
13	2347	訪看Ⅱ4・准 複11・長						複数名訪問加算(Ⅰ)	2人以上による場合(30分未満) + 254 単位		1,314	
13	2348	訪看Ⅱ4・准 夜 複11・長					夜間早朝の場合 25% 加算				1,504	
13	2349	訪看Ⅱ4・准 深 複11・長					深夜の場合 50% 加算				1,694	
13	2344	訪看Ⅱ4・准 複12・長							2人以上による場合(30分以上) + 402 単位		1,462	
13	2345	訪看Ⅱ4・准 夜 複12・長					夜間早朝の場合 25% 加算				1,652	
13	2346	訪看Ⅱ4・准 深 複12・長					深夜の場合 50% 加算				1,842	
13	2460	訪看Ⅱ4・准 複21・長						複数名訪問加算(Ⅱ)	2人以上による場合(30分未満) + 201 単位		1,261	
13	2461	訪看Ⅱ4・准 夜 複21・長					夜間早朝の場合 25% 加算				1,451	
13	2462	訪看Ⅱ4・准 深 複21・長					深夜の場合 50% 加算				1,641	
13	2463	訪看Ⅱ4・准 複22・長							2人以上による場合(30分以上) + 317 単位		1,377	
13	2464	訪看Ⅱ4・准 夜 複22・長					夜間早朝の場合 25% 加算				1,567	
13	2465	訪看Ⅱ4・准 深 複22・長					深夜の場合 50% 加算				1,757	
13	2501	訪看Ⅱ4・准 虐防				高齢者虐待防止措置未実施減算 1% 減算					752	
13	2502	訪看Ⅱ4・准 虐防 夜					夜間早朝の場合 25% 加算				940	
13	2503	訪看Ⅱ4・准 虐防 深					深夜の場合 50% 加算				1,128	
13	2504	訪看Ⅱ4・准 虐防 複11						複数名訪問加算(Ⅰ)	2人以上による場合(30分未満) + 254 単位		1,006	
13	2505	訪看Ⅱ4・准 虐防 夜 複11					夜間早朝の場合 25% 加算				1,194	
13	2506	訪看Ⅱ4・准 虐防 深 複11					深夜の場合 50% 加算				1,382	
13	2507	訪看Ⅱ4・准 虐防 複12							2人以上による場合(30分以上) + 402 単位		1,154	
13	2508	訪看Ⅱ4・准 虐防 夜 複12					夜間早朝の場合 25% 加算				1,342	
13	2509	訪看Ⅱ4・准 虐防 深 複12					深夜の場合 50% 加算				1,530	
13	2510	訪看Ⅱ4・准 虐防 複21						複数名訪問加算(Ⅱ)	2人以上による場合(30分未満) + 201 単位		953	
13	2511	訪看Ⅱ4・准 虐防 夜 複21					夜間早朝の場合 25% 加算				1,141	
13	2512	訪看Ⅱ4・准 虐防 深 複21					深夜の場合 50% 加算				1,329	
13	2513	訪看Ⅱ4・准 虐防 複22							2人以上による場合(30分以上) + 317 単位		1,069	
13	2514	訪看Ⅱ4・准 虐防 夜 複22					夜間早朝の場合 25% 加算				1,257	
13	2515	訪看Ⅱ4・准 虐防 深 複22					深夜の場合 50% 加算				1,445	
13	2516	訪看Ⅱ4・准 虐防 長								1時間30分以上の訪問看護を行う場合 + 300 単位	1,052	
13	2517	訪看Ⅱ4・准 虐防 夜・長					夜間早朝の場合 25% 加算				1,240	
13	2518	訪看Ⅱ4・准 虐防 深・長					深夜の場合 50% 加算				1,428	
13	2519	訪看Ⅱ4・准 虐防 複11・長						複数名訪問加算(Ⅰ)	2人以上による場合(30分未満) + 254 単位		1,306	
13	2520	訪看Ⅱ4・准 虐防 夜 複11・長					夜間早朝の場合 25% 加算				1,494	
13	2521	訪看Ⅱ4・准 虐防 深 複11・長					深夜の場合 50% 加算				1,682	
13	2522	訪看Ⅱ4・准 虐防 複12・長							2人以上による場合(30分以上) + 402 単位		1,454	
13	2523	訪看Ⅱ4・准 虐防 夜 複12・長					夜間早朝の場合 25% 加算				1,642	
13	2524	訪看Ⅱ4・准 虐防 深 複12・長					深夜の場合 50% 加算				1,830	
13	2525	訪看Ⅱ4・准 虐防 複21・長						複数名訪問加算(Ⅱ)	2人以上による場合(30分未満) + 201 単位		1,253	
13	2526	訪看Ⅱ4・准 虐防 夜 複21・長					夜間早朝の場合 25% 加算				1,441	
13	2527	訪看Ⅱ4・准 虐防 深 複21・長					深夜の場合 50% 加算				1,629	
13	2528	訪看Ⅱ4・准 虐防 複22・長							2人以上による場合(30分以上) + 317 単位		1,369	
13	2529	訪看Ⅱ4・准 虐防 夜 複22・長					夜間早朝の場合 25% 加算				1,557	
13	2530	訪看Ⅱ4・准 虐防 深 複22・長					深夜の場合 50% 加算				1,745	

サービスコード		サービス内容略称	算定項目				合成	算定
種類	項目						単位数	単位
13	3111	定期巡回訪看	ハ 定期巡回・随時対応型訪問介護看護事業所と連携する場合				2,961	1月につき
13	3115	定期巡回訪看・介5			要介護5の者の場合	+ 800 単位	3,761	
13	3113	定期巡回訪看・准1		准看護師による訪問が1回でもある場合			2,902	
13	3117	定期巡回訪看・准1・介5	2,961 単位	× 98%	要介護5の者の場合	+ 800 単位	3,702	
13	C201	訪問看護高齢者虐待防止未実施減算	高齢者虐待防止措置未実施減算	ハ 定期巡回・随時対応型訪問介護看護事業所と連携する場合		30 単位減算	-30	
13	4111	訪問看護同一建物減算1	事業所と同一建物の利用者等にサービスを行う場合	同一敷地内建物等の利用者又はこれ以外の同一建物の利用者20人以上にサービスを行う場合		所定単位数の 10% 減算		
13	4112	訪問看護同一建物減算2		同一敷地内建物等の利用者50人以上にサービスを行う場合		所定単位数の 15% 減算		
13	8000	特別地域訪問看護加算1	特別地域訪問看護加算	イ及びロを算定する場合		所定単位数の 15% 加算		1回につき
13	8001	特別地域訪問看護加算2		ハを算定する場合		所定単位数の 15% 加算		1月につき
13	8100	訪問看護小規模事業所加算1	中山間地域等における小規模事業所加算	イ及びロを算定する場合		所定単位数の 10% 加算		1回につき
13	8101	訪問看護小規模事業所加算2		ハを算定する場合		所定単位数の 10% 加算		1月につき
13	8110	訪問看護中山間地域等提供加算1	中山間地域等に居住する者へのサービス提供加算	イ及びロを算定する場合		所定単位数の 5% 加算		1回につき
13	8111	訪問看護中山間地域等提供加算2		ハを算定する場合		所定単位数の 5% 加算		1月につき
13	3001	緊急時訪問看護加算Ⅰ1	緊急時訪問看護加算Ⅰ	指定訪問看護ステーション		600 単位加算	600	
13	3002	緊急時訪問看護加算Ⅰ2		医療機関		325 単位加算	325	
13	3100	緊急時訪問看護加算Ⅱ1	緊急時訪問看護加算Ⅱ	指定訪問看護ステーション		574 単位加算	574	
13	3200	緊急時訪問看護加算Ⅱ2		医療機関		315 単位加算	315	
13	4000	訪問看護特別管理加算Ⅰ	特別管理加算	特別管理加算(Ⅰ)		500 単位加算	500	
13	4001	訪問看護特別管理加算Ⅱ		特別管理加算(Ⅱ)		250 単位加算	250	
13	4025	訪問看護専門管理加算1	専門管理加算	緩和ケア等に係る研修を受けた看護師が計画的な管理を行った場合		250 単位加算	250	月1回限度
13	4026	訪問看護専門管理加算2		特定行為研修を修了した看護師が計画的な管理を行った場合		250 単位加算	250	
13	7000	訪問看護ターミナルケア加算	ターミナルケア加算	ターミナルケア加算		2,500 単位加算	2,500	死亡月につき
13	4021	訪問看護遠隔死亡診断補助加算	遠隔死亡診断補助加算			150 単位加算	150	
13	4100	訪問看護特別指示減算	主治医が発行する訪問看護指示の文書の訪問看護指示期間の日数につき減算			97 単位減算	-97	1日につき
13	4024	訪問看護訪問回数超過等減算	理学療法士等の訪問回数が看護職員の訪問回数を超えている場合又は特定の加算を算定していない場合の減算			8 単位減算	-8	1回につき
13	4023	訪問看護初回加算Ⅰ	ニ 初回加算	(1) 初回加算(Ⅰ)		350 単位加算	350	1月につき
13	4002	訪問看護初回加算Ⅱ		(2) 初回加算(Ⅱ)		300 単位加算	300	
13	4003	訪問看護退院時共同指導加算	ホ 退院時共同指導加算			600 単位加算	600	1回につき
13	4004	訪問看護介護連携強化加算	ヘ 看護・介護職員連携強化加算			250 単位加算	250	1月につき
13	4010	訪問看護体制強化加算Ⅰ	ト 看護体制強化加算	(1) 看護体制強化加算(Ⅰ)		550 単位加算	550	
13	4005	訪問看護体制強化加算Ⅱ	(イ及びロを算定する場合のみ算定)	(2) 看護体制強化加算(Ⅱ)		200 単位加算	200	
13	6192	訪問看護口腔連携強化加算	チ 口腔連携強化加算			50 単位加算	50	月1回限度
13	6103	訪問看護サービス提供体制加算Ⅰ1	リ サービス提供体制強化加算	(1)イ及びロを算定する場合	(一)サービス提供体制強化加算(Ⅰ)	6 単位加算	6	1回につき
13	6101	訪問看護サービス提供体制加算Ⅱ1			(二)サービス提供体制強化加算(Ⅱ)	3 単位加算	3	
13	6104	訪問看護サービス提供体制加算Ⅰ2		(2)ハを算定する場合	(一)サービス提供体制強化加算(Ⅰ)	50 単位加算	50	1月につき
13	6102	訪問看護サービス提供体制加算Ⅱ2			(二)サービス提供体制強化加算(Ⅱ)	25 単位加算	25	

登録期間が1月に満たない場合（日割計算用サービスコード）

サービスコード		サービス内容略称	算定項目					合成	算定
種類	項目							単位数	単位
13	3112	定期巡回訪看・日割	ハ 定期巡回・随時対応型訪問介護看護事業所と連携する場合				日割計算の場合	97	1日につき
13	3116	定期巡回訪看・介5・日割			要介護5の者の場合	+ 800 単位		124	
13	3114	定期巡回訪看・准1・日割	2,961 単位	准看護師による訪問が1回でもある場合			÷ 30.4 日	95	
13	3118	定期巡回訪看・准1・介5・日割		× 98%	要介護5の者の場合	+ 800 単位		122	
13	C202	訪問看護高齢者虐待防止未実施減算・日割	高齢者虐待防止措置未実施減算	ハ 定期巡回・随時対応型訪問介護看護事業所と連携する場合		30 単位減算		-1	
13	8002	特別地域訪問看護加算2日割	特別地域訪問看護加算	ハを算定する場合		所定単位数の 15% 加算			
13	8102	訪問看護小規模事業所加算2日割	中山間地域等における小規模事業所加算	ハを算定する場合		所定単位数の 10% 加算			
13	8112	訪問看護中山間地域等加算2日割	中山間地域等に居住する者へのサービス提供加算	ハを算定する場合		所定単位数の 5% 加算			

ロ　療養病床を有する病院における短期入所療養介護

ロ 療養病床を有する病院における短期入所療養介護

サービスコード 種類	サービスコード 項目	サービス内容略称	算定項目						合成単位数	算定単位
23	2211	病院療養短期Ⅰi1	(1)病院療養病床短期入所療養介護費	(一)病院療養病床短期入所療養介護費(Ⅰ) 看護 6:1 介護 4:1)	a 病院療養病床短期入所療養介護費(i) ＜従来型個室＞	要介護1			723	1日につき
23	2216	病院療養短期Ⅰi1夜勤減				723 単位	夜勤の勤務条件に関する基準を満たさない場合	− 25 単位	698	
23	2221	病院療養短期Ⅰi2				要介護2			830	
23	2226	病院療養短期Ⅰi2夜勤減				830 単位	夜勤の勤務条件に関する基準を満たさない場合	− 25 単位	805	
23	2231	病院療養短期Ⅰi3				要介護3			1,064	
23	2236	病院療養短期Ⅰi3夜勤減				1,064 単位	夜勤の勤務条件に関する基準を満たさない場合	− 25 単位	1,039	
23	2241	病院療養短期Ⅰi4				要介護4			1,163	
23	2246	病院療養短期Ⅰi4夜勤減				1,163 単位	夜勤の勤務条件に関する基準を満たさない場合	− 25 単位	1,138	
23	2251	病院療養短期Ⅰi5				要介護5			1,253	
23	2256	病院療養短期Ⅰi5夜勤減				1,253 単位	夜勤の勤務条件に関する基準を満たさない場合	− 25 単位	1,228	
23	A001	病院療養短期Ⅰii1			b 病院療養病床短期入所療養介護費(ii) ＜療養機能強化型A＞ ＜従来型個室＞	要介護1			753	
23	A006	病院療養短期Ⅰii1夜勤減				753 単位	夜勤の勤務条件に関する基準を満たさない場合	− 25 単位	728	
23	A007	病院療養短期Ⅰii2				要介護2			866	
23	A012	病院療養短期Ⅰii2夜勤減				866 単位	夜勤の勤務条件に関する基準を満たさない場合	− 25 単位	841	
23	A013	病院療養短期Ⅰii3				要介護3			1,109	
23	A018	病院療養短期Ⅰii3夜勤減				1,109 単位	夜勤の勤務条件に関する基準を満たさない場合	− 25 単位	1,084	
23	A019	病院療養短期Ⅰii4				要介護4			1,213	
23	A024	病院療養短期Ⅰii4夜勤減				1,213 単位	夜勤の勤務条件に関する基準を満たさない場合	− 25 単位	1,188	
23	A025	病院療養短期Ⅰii5				要介護5			1,306	
23	A030	病院療養短期Ⅰii5夜勤減				1,306 単位	夜勤の勤務条件に関する基準を満たさない場合	− 25 単位	1,281	
23	A031	病院療養短期Ⅰiii1			c 病院療養病床短期入所療養介護費(iii) ＜療養機能強化型B＞ ＜従来型個室＞	要介護1			742	
23	A036	病院療養短期Ⅰiii1夜勤減				742 単位	夜勤の勤務条件に関する基準を満たさない場合	− 25 単位	717	
23	A037	病院療養短期Ⅰiii2				要介護2			854	
23	A042	病院療養短期Ⅰiii2夜勤減				854 単位	夜勤の勤務条件に関する基準を満たさない場合	− 25 単位	829	
23	A043	病院療養短期Ⅰiii3				要介護3			1,094	
23	A048	病院療養短期Ⅰiii3夜勤減				1,094 単位	夜勤の勤務条件に関する基準を満たさない場合	− 25 単位	1,069	
23	A049	病院療養短期Ⅰiii4				要介護4			1,196	
23	A054	病院療養短期Ⅰiii4夜勤減				1,196 単位	夜勤の勤務条件に関する基準を満たさない場合	− 25 単位	1,171	
23	A055	病院療養短期Ⅰiii5				要介護5			1,288	
23	A060	病院療養短期Ⅰiii5夜勤減				1,288 単位	夜勤の勤務条件に関する基準を満たさない場合	− 25 単位	1,263	
23	2266	病院療養短期Ⅰiv1			d 病院療養病床短期入所療養介護費(iv) ＜多床室＞	要介護1			831	
23	2270	病院療養短期Ⅰiv1夜勤減				831 単位	夜勤の勤務条件に関する基準を満たさない場合	− 25 単位	806	
23	2271	病院療養短期Ⅰiv2				要介護2			941	
23	2275	病院療養短期Ⅰiv2夜勤減				941 単位	夜勤の勤務条件に関する基準を満たさない場合	− 25 単位	916	
23	2276	病院療養短期Ⅰiv3				要介護3			1,173	
23	2280	病院療養短期Ⅰiv3夜勤減				1,173 単位	夜勤の勤務条件に関する基準を満たさない場合	− 25 単位	1,148	
23	2281	病院療養短期Ⅰiv4				要介護4			1,273	
23	2285	病院療養短期Ⅰiv4夜勤減				1,273 単位	夜勤の勤務条件に関する基準を満たさない場合	− 25 単位	1,248	
23	2286	病院療養短期Ⅰiv5				要介護5			1,362	
23	2290	病院療養短期Ⅰiv5夜勤減				1,362 単位	夜勤の勤務条件に関する基準を満たさない場合	− 25 単位	1,337	
23	A061	病院療養短期Ⅰv1			e 病院療養病床短期入所療養介護費(v) ＜療養機能強化型A＞ ＜多床室＞	要介護1			867	
23	A066	病院療養短期Ⅰv1夜勤減				867 単位	夜勤の勤務条件に関する基準を満たさない場合	− 25 単位	842	
23	A067	病院療養短期Ⅰv2				要介護2			980	
23	A072	病院療養短期Ⅰv2夜勤減				980 単位	夜勤の勤務条件に関する基準を満たさない場合	− 25 単位	955	
23	A073	病院療養短期Ⅰv3				要介護3			1,224	
23	A078	病院療養短期Ⅰv3夜勤減				1,224 単位	夜勤の勤務条件に関する基準を満たさない場合	− 25 単位	1,199	
23	A079	病院療養短期Ⅰv4				要介護4			1,328	
23	A084	病院療養短期Ⅰv4夜勤減				1,328 単位	夜勤の勤務条件に関する基準を満たさない場合	− 25 単位	1,303	
23	A085	病院療養短期Ⅰv5				要介護5			1,421	
23	A090	病院療養短期Ⅰv5夜勤減				1,421 単位	夜勤の勤務条件に関する基準を満たさない場合	− 25 単位	1,396	
23	A091	病院療養短期Ⅰvi1			f 病院療養病床短期入所療養介護費(vi) ＜療養機能強化型B＞ ＜多床室＞	要介護1			855	
23	A096	病院療養短期Ⅰvi1夜勤減				855 単位	夜勤の勤務条件に関する基準を満たさない場合	− 25 単位	830	
23	A097	病院療養短期Ⅰvi2				要介護2			966	
23	A102	病院療養短期Ⅰvi2夜勤減				966 単位	夜勤の勤務条件に関する基準を満たさない場合	− 25 単位	941	
23	A103	病院療養短期Ⅰvi3				要介護3			1,206	
23	A108	病院療養短期Ⅰvi3夜勤減				1,206 単位	夜勤の勤務条件に関する基準を満たさない場合	− 25 単位	1,181	
23	A109	病院療養短期Ⅰvi4				要介護4			1,307	
23	A114	病院療養短期Ⅰvi4夜勤減				1,307 単位	夜勤の勤務条件に関する基準を満たさない場合	− 25 単位	1,282	
23	A115	病院療養短期Ⅰvi5				要介護5			1,399	
23	A120	病院療養短期Ⅰvi5夜勤減				1,399 単位	夜勤の勤務条件に関する基準を満たさない場合	− 25 単位	1,374	

サービスコード		サービス内容略称	算定項目					合成単位数	算定単位
種類	項目								
23	2311	病院療養短期Ⅱｉ１	(1)病院療養病床短期入所療養介護費	(二)病院療養病床短期入所療養介護費(Ⅱ) 看護 6:1 介護 5:1)	a 病院療養病床短期入所療養介護費（ｉ） <従来型個室>	要介護１		666	1日につき
23	2316	病院療養短期Ⅱｉ１·夜勤減				666 単位	夜勤の勤務条件に関する基準を満たさない場合　－ 25 単位	641	
23	2321	病院療養短期Ⅱｉ２				要介護２		773	
23	2326	病院療養短期Ⅱｉ２·夜勤減				773 単位	夜勤の勤務条件に関する基準を満たさない場合　－ 25 単位	748	
23	2331	病院療養短期Ⅱｉ３				要介護３		933	
23	2336	病院療養短期Ⅱｉ３·夜勤減				933 単位	夜勤の勤務条件に関する基準を満たさない場合　－ 25 単位	908	
23	2341	病院療養短期Ⅱｉ４				要介護４		1,086	
23	2346	病院療養短期Ⅱｉ４·夜勤減				1,086 単位	夜勤の勤務条件に関する基準を満たさない場合　－ 25 単位	1,061	
23	2351	病院療養短期Ⅱｉ５				要介護５		1,127	
23	2356	病院療養短期Ⅱｉ５·夜勤減				1,127 単位	夜勤の勤務条件に関する基準を満たさない場合　－ 25 単位	1,102	
23	C001	病院療養短期Ⅱⅱ１			b 病院療養病床短期入所療養介護費（ⅱ） <療養機能強化型> <従来型個室>	要介護１		681	
23	C006	病院療養短期Ⅱⅱ１·夜勤減				681 単位	夜勤の勤務条件に関する基準を満たさない場合　－ 25 単位	656	
23	C007	病院療養短期Ⅱⅱ２				要介護２		792	
23	C012	病院療養短期Ⅱⅱ２·夜勤減				792 単位	夜勤の勤務条件に関する基準を満たさない場合　－ 25 単位	767	
23	C013	病院療養短期Ⅱⅱ３				要介護３		955	
23	C018	病院療養短期Ⅱⅱ３·夜勤減				955 単位	夜勤の勤務条件に関する基準を満たさない場合　－ 25 単位	930	
23	C019	病院療養短期Ⅱⅱ４				要介護４		1,111	
23	C024	病院療養短期Ⅱⅱ４·夜勤減				1,111 単位	夜勤の勤務条件に関する基準を満たさない場合　－ 25 単位	1,086	
23	C025	病院療養短期Ⅱⅱ５				要介護５		1,154	
23	C030	病院療養短期Ⅱⅱ５·夜勤減				1,154 単位	夜勤の勤務条件に関する基準を満たさない場合　－ 25 単位	1,129	
23	2366	病院療養短期Ⅱⅲ１		(二)病院療養病床短期入所療養介護費(Ⅱ) 看護 6:1 介護 5:1)	c 病院療養病床短期入所療養介護費（ⅲ） <多床室>	要介護１		775	
23	2370	病院療養短期Ⅱⅲ１·夜勤減				775 単位	夜勤の勤務条件に関する基準を満たさない場合　－ 25 単位	750	
23	2371	病院療養短期Ⅱⅲ２				要介護２		884	
23	2375	病院療養短期Ⅱⅲ２·夜勤減				884 単位	夜勤の勤務条件に関する基準を満たさない場合　－ 25 単位	859	
23	2376	病院療養短期Ⅱⅲ３				要介護３		1,042	
23	2380	病院療養短期Ⅱⅲ３·夜勤減				1,042 単位	夜勤の勤務条件に関する基準を満たさない場合　－ 25 単位	1,017	
23	2381	病院療養短期Ⅱⅲ４				要介護４		1,196	
23	2385	病院療養短期Ⅱⅲ４·夜勤減				1,196 単位	夜勤の勤務条件に関する基準を満たさない場合　－ 25 単位	1,171	
23	2386	病院療養短期Ⅱⅲ５				要介護５		1,237	
23	2390	病院療養短期Ⅱⅲ５·夜勤減				1,237 単位	夜勤の勤務条件に関する基準を満たさない場合　－ 25 単位	1,212	
23	C031	病院療養短期Ⅱⅳ１			d 病院療養病床短期入所療養介護費（ⅳ） <療養機能強化型> <多床室>	要介護１		795	
23	C036	病院療養短期Ⅱⅳ１·夜勤減				795 単位	夜勤の勤務条件に関する基準を満たさない場合　－ 25 単位	770	
23	C037	病院療養短期Ⅱⅳ２				要介護２		905	
23	C042	病院療養短期Ⅱⅳ２·夜勤減				905 単位	夜勤の勤務条件に関する基準を満たさない場合　－ 25 単位	880	
23	C043	病院療養短期Ⅱⅳ３				要介護３		1,066	
23	C048	病院療養短期Ⅱⅳ３·夜勤減				1,066 単位	夜勤の勤務条件に関する基準を満たさない場合　－ 25 単位	1,041	
23	C049	病院療養短期Ⅱⅳ４				要介護４		1,224	
23	C054	病院療養短期Ⅱⅳ４·夜勤減				1,224 単位	夜勤の勤務条件に関する基準を満たさない場合　－ 25 単位	1,199	
23	C055	病院療養短期Ⅱⅳ５				要介護５		1,266	
23	C060	病院療養短期Ⅱⅳ５·夜勤減				1,266 単位	夜勤の勤務条件に関する基準を満たさない場合　－ 25 単位	1,241	
23	2411	病院療養短期Ⅲｉ１		(三)病院療養病床短期入所療養介護費(Ⅲ) 看護 6:1 介護 6:1)	a 病院療養病床短期入所療養介護費（ｉ） <従来型個室>	要介護１		642	
23	2416	病院療養短期Ⅲｉ１·夜勤減				642 単位	夜勤の勤務条件に関する基準を満たさない場合　－ 25 単位	617	
23	2421	病院療養短期Ⅲｉ２				要介護２		754	
23	2426	病院療養短期Ⅲｉ２·夜勤減				754 単位	夜勤の勤務条件に関する基準を満たさない場合　－ 25 単位	729	
23	2431	病院療養短期Ⅲｉ３				要介護３		904	
23	2436	病院療養短期Ⅲｉ３·夜勤減				904 単位	夜勤の勤務条件に関する基準を満たさない場合　－ 25 単位	879	
23	2441	病院療養短期Ⅲｉ４				要介護４		1,059	
23	2446	病院療養短期Ⅲｉ４·夜勤減				1,059 単位	夜勤の勤務条件に関する基準を満たさない場合　－ 25 単位	1,034	
23	2451	病院療養短期Ⅲｉ５				要介護５		1,100	
23	2456	病院療養短期Ⅲｉ５·夜勤減				1,100 単位	夜勤の勤務条件に関する基準を満たさない場合　－ 25 単位	1,075	
23	2466	病院療養短期Ⅲⅱ１			b 病院療養病床短期入所療養介護費（ⅱ） <多床室>	要介護１		754	
23	2470	病院療養短期Ⅲⅱ１·夜勤減				754 単位	夜勤の勤務条件に関する基準を満たさない場合　－ 25 単位	729	
23	2471	病院療養短期Ⅲⅱ２				要介護２		864	
23	2475	病院療養短期Ⅲⅱ２·夜勤減				864 単位	夜勤の勤務条件に関する基準を満たさない場合　－ 25 単位	839	
23	2476	病院療養短期Ⅲⅱ３				要介護３		1,014	
23	2480	病院療養短期Ⅲⅱ３·夜勤減				1,014 単位	夜勤の勤務条件に関する基準を満たさない場合　－ 25 単位	989	
23	2481	病院療養短期Ⅲⅱ４				要介護４		1,170	
23	2485	病院療養短期Ⅲⅱ４·夜勤減				1,170 単位	夜勤の勤務条件に関する基準を満たさない場合　－ 25 単位	1,145	
23	2486	病院療養短期Ⅲⅱ５				要介護５		1,211	
23	2490	病院療養短期Ⅲⅱ５·夜勤減				1,211 単位	夜勤の勤務条件に関する基準を満たさない場合　－ 25 単位	1,186	

サービスコード		サービス内容略称	算定項目					合成単位数	算定単位
種類	項目								
23	1006	病院経過短期Ⅰｉ１	(2) 病院療養病床経過型短期入所療養介護費	(一) 病院療養病床経過型短期入所療養介護費（Ⅰ） 看護 6:1 介護 4:1)	a 病院療養病床経過型短期入所療養介護費（ｉ） ＜従来型個室＞	要介護１		732	1日につき
23	1010	病院経過短期Ⅰｉ１·夜勤減				732 単位	夜勤の勤務条件に関する基準を満たさない場合　−　25 単位	707	
23	1011	病院経過短期Ⅰｉ２				要介護２		841	
23	1015	病院経過短期Ⅰｉ２·夜勤減				841 単位	夜勤の勤務条件に関する基準を満たさない場合　−　25 単位	816	
23	1016	病院経過短期Ⅰｉ３				要介護３		992	
23	1020	病院経過短期Ⅰｉ３·夜勤減				992 単位	夜勤の勤務条件に関する基準を満たさない場合　−　25 単位	967	
23	1021	病院経過短期Ⅰｉ４				要介護４		1,081	
23	1025	病院経過短期Ⅰｉ４·夜勤減				1,081 単位	夜勤の勤務条件に関する基準を満たさない場合　−　25 単位	1,056	
23	1026	病院経過短期Ⅰｉ５				要介護５		1,172	
23	1030	病院経過短期Ⅰｉ５·夜勤減				1,172 単位	夜勤の勤務条件に関する基準を満たさない場合　−　25 単位	1,147	
23	1036	病院経過短期Ⅰⅱ１			b 病院療養病床経過型短期入所療養介護費（ⅱ） ＜多床室＞	要介護１		843	
23	1040	病院経過短期Ⅰⅱ１·夜勤減				843 単位	夜勤の勤務条件に関する基準を満たさない場合　−　25 単位	818	
23	1041	病院経過短期Ⅰⅱ２				要介護２		953	
23	1045	病院経過短期Ⅰⅱ２·夜勤減				953 単位	夜勤の勤務条件に関する基準を満たさない場合　−　25 単位	928	
23	1046	病院経過短期Ⅰⅱ３				要介護３		1,101	
23	1050	病院経過短期Ⅰⅱ３·夜勤減				1,101 単位	夜勤の勤務条件に関する基準を満たさない場合　−　25 単位	1,076	
23	1051	病院経過短期Ⅰⅱ４				要介護４		1,193	
23	1055	病院経過短期Ⅰⅱ４·夜勤減				1,193 単位	夜勤の勤務条件に関する基準を満たさない場合　−　25 単位	1,168	
23	1056	病院経過短期Ⅰⅱ５				要介護５		1,283	
23	1060	病院経過短期Ⅰⅱ５·夜勤減				1,283 単位	夜勤の勤務条件に関する基準を満たさない場合　−　25 単位	1,258	
23	5206	病院経過短期Ⅱｉ１		(二) 病院療養病床経過型短期入所療養介護費（Ⅱ） 看護 8:1 介護 4:1)	a 病院療養病床経過型短期入所療養介護費（ｉ） ＜従来型個室＞	要介護１		732	
23	5210	病院経過短期Ⅱｉ１·夜勤減				732 単位	夜勤の勤務条件に関する基準を満たさない場合　−　25 単位	707	
23	5211	病院経過短期Ⅱｉ２				要介護２		841	
23	5215	病院経過短期Ⅱｉ２·夜勤減				841 単位	夜勤の勤務条件に関する基準を満たさない場合　−　25 単位	816	
23	5216	病院経過短期Ⅱｉ３				要介護３		950	
23	5220	病院経過短期Ⅱｉ３·夜勤減				950 単位	夜勤の勤務条件に関する基準を満たさない場合　−　25 単位	925	
23	5221	病院経過短期Ⅱｉ４				要介護４		1,041	
23	5225	病院経過短期Ⅱｉ４·夜勤減				1,041 単位	夜勤の勤務条件に関する基準を満たさない場合　−　25 単位	1,016	
23	5226	病院経過短期Ⅱｉ５				要介護５		1,130	
23	5230	病院経過短期Ⅱｉ５·夜勤減				1,130 単位	夜勤の勤務条件に関する基準を満たさない場合　−　25 単位	1,105	
23	5236	病院経過短期Ⅱⅱ１			b 病院療養病床経過型短期入所療養介護費（ⅱ） ＜多床室＞	要介護１		843	
23	5240	病院経過短期Ⅱⅱ１·夜勤減				843 単位	夜勤の勤務条件に関する基準を満たさない場合　−　25 単位	818	
23	5241	病院経過短期Ⅱⅱ２				要介護２		953	
23	5245	病院経過短期Ⅱⅱ２·夜勤減				953 単位	夜勤の勤務条件に関する基準を満たさない場合　−　25 単位	928	
23	5246	病院経過短期Ⅱⅱ３				要介護３		1,059	
23	5250	病院経過短期Ⅱⅱ３·夜勤減				1,059 単位	夜勤の勤務条件に関する基準を満たさない場合　−　25 単位	1,034	
23	5251	病院経過短期Ⅱⅱ４				要介護４		1,149	
23	5255	病院経過短期Ⅱⅱ４·夜勤減				1,149 単位	夜勤の勤務条件に関する基準を満たさない場合　−　25 単位	1,124	
23	5256	病院経過短期Ⅱⅱ５				要介護５		1,242	
23	5260	病院経過短期Ⅱⅱ５·夜勤減				1,242 単位	夜勤の勤務条件に関する基準を満たさない場合　−　25 単位	1,217	

サービスコード 種類	サービスコード 項目	サービス内容略称	算定項目				合成単位数	算定単位
23	2511	ユ型病院療養短期Ⅰ1	(3) ユニット型病院療養病床短期入所療養介護費	(一) ユニット型病院療養病床短期入所療養介護費(Ⅰ) <ユニット型個室>	要介護1 856 単位		856	1日につき
23	2516	ユ型病院療養短期Ⅰ1・夜勤減				夜勤の勤務条件に関する基準を満たさない場合 − 25 単位	831	
23	2521	ユ型病院療養短期Ⅰ2			要介護2 963 単位		963	
23	2526	ユ型病院療養短期Ⅰ2・夜勤減				夜勤の勤務条件に関する基準を満たさない場合 − 25 単位	938	
23	2531	ユ型病院療養短期Ⅰ3			要介護3 1,197 単位		1,197	
23	2536	ユ型病院療養短期Ⅰ3・夜勤減				夜勤の勤務条件に関する基準を満たさない場合 − 25 単位	1,172	
23	2541	ユ型病院療養短期Ⅰ4			要介護4 1,296 単位		1,296	
23	2546	ユ型病院療養短期Ⅰ4・夜勤減				夜勤の勤務条件に関する基準を満たさない場合 − 25 単位	1,271	
23	2551	ユ型病院療養短期Ⅰ5			要介護5 1,385 単位		1,385	
23	2556	ユ型病院療養短期Ⅰ5・夜勤減				夜勤の勤務条件に関する基準を満たさない場合 − 25 単位	1,360	
23	A121	ユ型病院療養短期Ⅱ1		(二) ユニット型病院療養病床短期入所療養介護費(Ⅱ) <療養機能強化型A> <ユニット型個室>	要介護1 885 単位		885	
23	A126	ユ型病院療養短期Ⅱ1・夜勤減				夜勤の勤務条件に関する基準を満たさない場合 − 25 単位	860	
23	A127	ユ型病院療養短期Ⅱ2			要介護2 998 単位		998	
23	A132	ユ型病院療養短期Ⅱ2・夜勤減				夜勤の勤務条件に関する基準を満たさない場合 − 25 単位	973	
23	A133	ユ型病院療養短期Ⅱ3			要介護3 1,242 単位		1,242	
23	A138	ユ型病院療養短期Ⅱ3・夜勤減				夜勤の勤務条件に関する基準を満たさない場合 − 25 単位	1,217	
23	A139	ユ型病院療養短期Ⅱ4			要介護4 1,345 単位		1,345	
23	A144	ユ型病院療養短期Ⅱ4・夜勤減				夜勤の勤務条件に関する基準を満たさない場合 − 25 単位	1,320	
23	A145	ユ型病院療養短期Ⅱ5			要介護5 1,438 単位		1,438	
23	A150	ユ型病院療養短期Ⅱ5・夜勤減				夜勤の勤務条件に関する基準を満たさない場合 − 25 単位	1,413	
23	A151	ユ型病院療養短期Ⅲ1		(三) ユニット型病院療養病床短期入所療養介護費(Ⅲ) <療養機能強化型B> <ユニット型個室>	要介護1 874 単位		874	
23	A156	ユ型病院療養短期Ⅲ1・夜勤減				夜勤の勤務条件に関する基準を満たさない場合 − 25 単位	849	
23	A157	ユ型病院療養短期Ⅲ2			要介護2 985 単位		985	
23	A162	ユ型病院療養短期Ⅲ2・夜勤減				夜勤の勤務条件に関する基準を満たさない場合 − 25 単位	960	
23	A163	ユ型病院療養短期Ⅲ3			要介護3 1,226 単位		1,226	
23	A168	ユ型病院療養短期Ⅲ3・夜勤減				夜勤の勤務条件に関する基準を満たさない場合 − 25 単位	1,201	
23	A169	ユ型病院療養短期Ⅲ4			要介護4 1,328 単位		1,328	
23	A174	ユ型病院療養短期Ⅲ4・夜勤減				夜勤の勤務条件に関する基準を満たさない場合 − 25 単位	1,303	
23	A175	ユ型病院療養短期Ⅲ5			要介護5 1,419 単位		1,419	
23	A180	ユ型病院療養短期Ⅲ5・夜勤減				夜勤の勤務条件に関する基準を満たさない場合 − 25 単位	1,394	
23	2566	経ユ型病院療養短期Ⅰ1		(四) 経過的ユニット型病院療養病床短期入所療養介護費(Ⅰ) <ユニット型個室的多床室>	要介護1 856 単位		856	
23	2570	経ユ型病院療養短期Ⅰ1・夜勤減				夜勤の勤務条件に関する基準を満たさない場合 − 25 単位	831	
23	2571	経ユ型病院療養短期Ⅰ2			要介護2 963 単位		963	
23	2575	経ユ型病院療養短期Ⅰ2・夜勤減				夜勤の勤務条件に関する基準を満たさない場合 − 25 単位	938	
23	2576	経ユ型病院療養短期Ⅰ3			要介護3 1,197 単位		1,197	
23	2580	経ユ型病院療養短期Ⅰ3・夜勤減				夜勤の勤務条件に関する基準を満たさない場合 − 25 単位	1,172	
23	2581	経ユ型病院療養短期Ⅰ4			要介護4 1,296 単位		1,296	
23	2585	経ユ型病院療養短期Ⅰ4・夜勤減				夜勤の勤務条件に関する基準を満たさない場合 − 25 単位	1,271	
23	2586	経ユ型病院療養短期Ⅰ5			要介護5 1,385 単位		1,385	
23	2590	経ユ型病院療養短期Ⅰ5・夜勤減				夜勤の勤務条件に関する基準を満たさない場合 − 25 単位	1,360	
23	A181	経ユ型病院療養短期Ⅱ1		(五) 経過的ユニット型病院療養病床短期入所療養介護費(Ⅱ) <療養機能強化型A> <ユニット型個室的多床室>	要介護1 885 単位		885	
23	A186	経ユ型病院療養短期Ⅱ1・夜勤減				夜勤の勤務条件に関する基準を満たさない場合 − 25 単位	860	
23	A187	経ユ型病院療養短期Ⅱ2			要介護2 998 単位		998	
23	A192	経ユ型病院療養短期Ⅱ2・夜勤減				夜勤の勤務条件に関する基準を満たさない場合 − 25 単位	973	
23	A193	経ユ型病院療養短期Ⅱ3			要介護3 1,242 単位		1,242	
23	A198	経ユ型病院療養短期Ⅱ3・夜勤減				夜勤の勤務条件に関する基準を満たさない場合 − 25 単位	1,217	
23	A199	経ユ型病院療養短期Ⅱ4			要介護4 1,345 単位		1,345	
23	A204	経ユ型病院療養短期Ⅱ4・夜勤減				夜勤の勤務条件に関する基準を満たさない場合 − 25 単位	1,320	
23	A205	経ユ型病院療養短期Ⅱ5			要介護5 1,438 単位		1,438	
23	A210	経ユ型病院療養短期Ⅱ5・夜勤減				夜勤の勤務条件に関する基準を満たさない場合 − 25 単位	1,413	
23	A211	経ユ型病院療養短期Ⅲ1		(六) 経過的ユニット型病院療養病床短期入所療養介護費(Ⅲ) <療養機能強化型B> <ユニット型個室的多床室>	要介護1 874 単位		874	
23	A216	経ユ型病院療養短期Ⅲ1・夜勤減				夜勤の勤務条件に関する基準を満たさない場合 − 25 単位	849	
23	A217	経ユ型病院療養短期Ⅲ2			要介護2 985 単位		985	
23	A222	経ユ型病院療養短期Ⅲ2・夜勤減				夜勤の勤務条件に関する基準を満たさない場合 − 25 単位	960	
23	A223	経ユ型病院療養短期Ⅲ3			要介護3 1,226 単位		1,226	
23	A228	経ユ型病院療養短期Ⅲ3・夜勤減				夜勤の勤務条件に関する基準を満たさない場合 − 25 単位	1,201	
23	A229	経ユ型病院療養短期Ⅲ4			要介護4 1,328 単位		1,328	
23	A234	経ユ型病院療養短期Ⅲ4・夜勤減				夜勤の勤務条件に関する基準を満たさない場合 − 25 単位	1,303	
23	A235	経ユ型病院療養短期Ⅲ5			要介護5 1,419 単位		1,419	
23	A240	経ユ型病院療養短期Ⅲ5・夜勤減				夜勤の勤務条件に関する基準を満たさない場合 − 25 単位	1,394	

サービスコード 種類	サービスコード 項目	サービス内容略称	算定項目					合成単位数	算定単位
23	2806	ユ型病院療養短期Ⅰ１・未	(3) ユニット型病院療養病床短期入所療養介護費	(一) ユニット型病院療養病床短期入所療養介護費（Ⅰ） <ユニット型個室>	要介護１ 856 単位		ユニットケア体制未整備減算 × 97%	830	1日につき
23	2810	ユ型病院療養短期Ⅰ１・夜勤減・未				夜勤の勤務条件に関する基準を満たさない場合 − 25 単位		806	
23	2811	ユ型病院療養短期Ⅰ２・未			要介護２ 963 単位			934	
23	2815	ユ型病院療養短期Ⅰ２・夜勤減・未				夜勤の勤務条件に関する基準を満たさない場合 − 25 単位		910	
23	2816	ユ型病院療養短期Ⅰ３・未			要介護３ 1,197 単位			1,161	
23	2820	ユ型病院療養短期Ⅰ３・夜勤減・未				夜勤の勤務条件に関する基準を満たさない場合 − 25 単位		1,137	
23	2821	ユ型病院療養短期Ⅰ４・未			要介護４ 1,296 単位			1,257	
23	2825	ユ型病院療養短期Ⅰ４・夜勤減・未				夜勤の勤務条件に関する基準を満たさない場合 − 25 単位		1,233	
23	2826	ユ型病院療養短期Ⅰ５・未			要介護５ 1,385 単位			1,343	
23	2830	ユ型病院療養短期Ⅰ５・夜勤減・未				夜勤の勤務条件に関する基準を満たさない場合 − 25 単位		1,319	
23	A241	ユ型病院療養短期Ⅱ１・未		(二) ユニット型病院療養病床短期入所療養介護費（Ⅱ） <療養機能強化型A> <ユニット型個室>	要介護１ 885 単位			858	
23	A246	ユ型病院療養短期Ⅱ１・夜勤減・未				夜勤の勤務条件に関する基準を満たさない場合 − 25 単位		834	
23	A247	ユ型病院療養短期Ⅱ２・未			要介護２ 998 単位			968	
23	A252	ユ型病院療養短期Ⅱ２・夜勤減・未				夜勤の勤務条件に関する基準を満たさない場合 − 25 単位		944	
23	A253	ユ型病院療養短期Ⅱ３・未			要介護３ 1,242 単位			1,205	
23	A258	ユ型病院療養短期Ⅱ３・夜勤減・未				夜勤の勤務条件に関する基準を満たさない場合 − 25 単位		1,180	
23	A259	ユ型病院療養短期Ⅱ４・未			要介護４ 1,345 単位			1,305	
23	A264	ユ型病院療養短期Ⅱ４・夜勤減・未				夜勤の勤務条件に関する基準を満たさない場合 − 25 単位		1,280	
23	A265	ユ型病院療養短期Ⅱ５・未			要介護５ 1,438 単位			1,395	
23	A270	ユ型病院療養短期Ⅱ５・夜勤減・未				夜勤の勤務条件に関する基準を満たさない場合 − 25 単位		1,371	
23	A271	ユ型病院療養短期Ⅲ１・未		(三) ユニット型病院療養病床短期入所療養介護費（Ⅲ） <療養機能強化型B> <ユニット型個室>	要介護１ 874 単位			848	
23	A276	ユ型病院療養短期Ⅲ１・夜勤減・未				夜勤の勤務条件に関する基準を満たさない場合 − 25 単位		824	
23	A277	ユ型病院療養短期Ⅲ２・未			要介護２ 985 単位			955	
23	A282	ユ型病院療養短期Ⅲ２・夜勤減・未				夜勤の勤務条件に関する基準を満たさない場合 − 25 単位		931	
23	A283	ユ型病院療養短期Ⅲ３・未			要介護３ 1,226 単位			1,189	
23	A288	ユ型病院療養短期Ⅲ３・夜勤減・未				夜勤の勤務条件に関する基準を満たさない場合 − 25 単位		1,165	
23	A289	ユ型病院療養短期Ⅲ４・未			要介護４ 1,328 単位			1,288	
23	A294	ユ型病院療養短期Ⅲ４・夜勤減・未				夜勤の勤務条件に関する基準を満たさない場合 − 25 単位		1,264	
23	A295	ユ型病院療養短期Ⅲ５・未			要介護５ 1,419 単位			1,376	
23	A300	ユ型病院療養短期Ⅲ５・夜勤減・未				夜勤の勤務条件に関する基準を満たさない場合 − 25 単位		1,352	
23	2836	経ユ型病院療養短期Ⅰ１・未		(四) 経過的ユニット型病院療養病床短期入所療養介護費（Ⅰ） <ユニット型個室的多床室>	要介護１ 856 単位			830	
23	2840	経ユ型病院療養短期Ⅰ１・夜勤減・未				夜勤の勤務条件に関する基準を満たさない場合 − 25 単位		806	
23	2841	経ユ型病院療養短期Ⅰ２・未			要介護２ 963 単位			934	
23	2845	経ユ型病院療養短期Ⅰ２・夜勤減・未				夜勤の勤務条件に関する基準を満たさない場合 − 25 単位		910	
23	2846	経ユ型病院療養短期Ⅰ３・未			要介護３ 1,197 単位			1,161	
23	2850	経ユ型病院療養短期Ⅰ３・夜勤減・未				夜勤の勤務条件に関する基準を満たさない場合 − 25 単位		1,137	
23	2851	経ユ型病院療養短期Ⅰ４・未			要介護４ 1,296 単位			1,257	
23	2855	経ユ型病院療養短期Ⅰ４・夜勤減・未				夜勤の勤務条件に関する基準を満たさない場合 − 25 単位		1,233	
23	2856	経ユ型病院療養短期Ⅰ５・未			要介護５ 1,385 単位			1,343	
23	2860	経ユ型病院療養短期Ⅰ５・夜勤減・未				夜勤の勤務条件に関する基準を満たさない場合 − 25 単位		1,319	
23	A301	経ユ型病院療養短期Ⅱ１・未		(五) 経過的ユニット型病院療養病床短期入所療養介護費（Ⅱ） <療養機能強化型A> <ユニット型個室的多床室>	要介護１ 885 単位			858	
23	A306	経ユ型病院療養短期Ⅱ１・夜勤減・未				夜勤の勤務条件に関する基準を満たさない場合 − 25 単位		834	
23	A307	経ユ型病院療養短期Ⅱ２・未			要介護２ 998 単位			968	
23	A312	経ユ型病院療養短期Ⅱ２・夜勤減・未				夜勤の勤務条件に関する基準を満たさない場合 − 25 単位		944	
23	A313	経ユ型病院療養短期Ⅱ３・未			要介護３ 1,242 単位			1,205	
23	A318	経ユ型病院療養短期Ⅱ３・夜勤減・未				夜勤の勤務条件に関する基準を満たさない場合 − 25 単位		1,180	
23	A319	経ユ型病院療養短期Ⅱ４・未			要介護４ 1,345 単位			1,305	
23	A324	経ユ型病院療養短期Ⅱ４・夜勤減・未				夜勤の勤務条件に関する基準を満たさない場合 − 25 単位		1,280	
23	A325	経ユ型病院療養短期Ⅱ５・未			要介護５ 1,438 単位			1,395	
23	A330	経ユ型病院療養短期Ⅱ５・夜勤減・未				夜勤の勤務条件に関する基準を満たさない場合 − 25 単位		1,371	
23	A331	経ユ型病院療養短期Ⅲ１・未		(六) 経過的ユニット型病院療養病床短期入所療養介護費（Ⅲ） <療養機能強化型B> <ユニット型個室的多床室>	要介護１ 874 単位			848	
23	A336	経ユ型病院療養短期Ⅲ１・夜勤減・未				夜勤の勤務条件に関する基準を満たさない場合 − 25 単位		824	
23	A337	経ユ型病院療養短期Ⅲ２・未			要介護２ 985 単位			955	
23	A342	経ユ型病院療養短期Ⅲ２・夜勤減・未				夜勤の勤務条件に関する基準を満たさない場合 − 25 単位		931	
23	A343	経ユ型病院療養短期Ⅲ３・未			要介護３ 1,226 単位			1,189	
23	A348	経ユ型病院療養短期Ⅲ３・夜勤減・未				夜勤の勤務条件に関する基準を満たさない場合 − 25 単位		1,165	
23	A349	経ユ型病院療養短期Ⅲ４・未			要介護４ 1,328 単位			1,288	
23	A354	経ユ型病院療養短期Ⅲ４・夜勤減・未				夜勤の勤務条件に関する基準を満たさない場合 − 25 単位		1,264	
23	A355	経ユ型病院療養短期Ⅲ５・未			要介護５ 1,419 単位			1,376	
23	A360	経ユ型病院療養短期Ⅲ５・夜勤減・未				夜勤の勤務条件に関する基準を満たさない場合 − 25 単位		1,352	

サービスコード 種類	サービスコード 項目	サービス内容略称	算定項目						合成単位数	算定単位
23	1066	ユ型病院経過短期１	(4)ユニット型病院療養病床経過型短期入所療養介護費	(一)ユニット型病院療養病床経過型短期入所療養介護費 ＜ユニット型個室＞	要介護１ 856 単位				856	1日につき
23	1070	ユ型病院経過短期１・夜勤減				夜勤の勤務条件に関する基準を満たさない場合	− 25 単位		831	
23	1071	ユ型病院経過短期２			要介護２ 963 単位				963	
23	1075	ユ型病院経過短期２・夜勤減				夜勤の勤務条件に関する基準を満たさない場合	− 25 単位		938	
23	1076	ユ型病院経過短期３			要介護３ 1,105 単位				1,105	
23	1080	ユ型病院経過短期３・夜勤減				夜勤の勤務条件に関する基準を満たさない場合	− 25 単位		1,080	
23	1081	ユ型病院経過短期４			要介護４ 1,195 単位				1,195	
23	1085	ユ型病院経過短期４・夜勤減				夜勤の勤務条件に関する基準を満たさない場合	− 25 単位		1,170	
23	1086	ユ型病院経過短期５			要介護５ 1,284 単位				1,284	
23	1090	ユ型病院経過短期５・夜勤減				夜勤の勤務条件に関する基準を満たさない場合	− 25 単位		1,259	
23	1096	経ユ型病院経過短期１		(二)経過的ユニット型病院療養病床経過型短期入所療養介護費 ＜ユニット型個室的多床室＞	要介護１ 856 単位				856	
23	1100	経ユ型病院経過短期１・夜勤減				夜勤の勤務条件に関する基準を満たさない場合	− 25 単位		831	
23	1101	経ユ型病院経過短期２			要介護２ 963 単位				963	
23	1105	経ユ型病院経過短期２・夜勤減				夜勤の勤務条件に関する基準を満たさない場合	− 25 単位		938	
23	1106	経ユ型病院経過短期３			要介護３ 1,105 単位				1,105	
23	1110	経ユ型病院経過短期３・夜勤減				夜勤の勤務条件に関する基準を満たさない場合	− 25 単位		1,080	
23	1111	経ユ型病院経過短期４			要介護４ 1,195 単位				1,195	
23	1115	経ユ型病院経過短期４・夜勤減				夜勤の勤務条件に関する基準を満たさない場合	− 25 単位		1,170	
23	1116	経ユ型病院経過短期５			要介護５ 1,284 単位				1,284	
23	1120	経ユ型病院経過短期５・夜勤減				夜勤の勤務条件に関する基準を満たさない場合	− 25 単位		1,259	
23	1126	ユ型病院経過短期１・未		(一)ユニット型病院療養病床経過型短期入所療養介護費 ＜ユニット型個室＞	要介護１ 856 単位			ユニットケア体制未整備減算 × 97%	830	
23	1130	ユ型病院経過短期１・夜勤減・未				夜勤の勤務条件に関する基準を満たさない場合	− 25 単位		806	
23	1131	ユ型病院経過短期２・未			要介護２ 963 単位				934	
23	1135	ユ型病院経過短期２・夜勤減・未				夜勤の勤務条件に関する基準を満たさない場合	− 25 単位		910	
23	1136	ユ型病院経過短期３・未			要介護３ 1,105 単位				1,072	
23	1140	ユ型病院経過短期３・夜勤減・未				夜勤の勤務条件に関する基準を満たさない場合	− 25 単位		1,048	
23	1141	ユ型病院経過短期４・未			要介護４ 1,195 単位				1,159	
23	1145	ユ型病院経過短期４・夜勤減・未				夜勤の勤務条件に関する基準を満たさない場合	− 25 単位		1,135	
23	1146	ユ型病院経過短期５・未			要介護５ 1,284 単位				1,245	
23	1150	ユ型病院経過短期５・夜勤減・未				夜勤の勤務条件に関する基準を満たさない場合	− 25 単位		1,221	
23	1156	経ユ型病院経過短期１・未		(二)経過的ユニット型病院療養病床経過型短期入所療養介護費 ＜ユニット型個室的多床室＞	要介護１ 856 単位				830	
23	1160	経ユ型病院経過短期１・夜勤減・未				夜勤の勤務条件に関する基準を満たさない場合	− 25 単位		806	
23	1161	経ユ型病院経過短期２・未			要介護２ 963 単位				934	
23	1165	経ユ型病院経過短期２・夜勤減・未				夜勤の勤務条件に関する基準を満たさない場合	− 25 単位		910	
23	1166	経ユ型病院経過短期３・未			要介護３ 1,105 単位				1,072	
23	1170	経ユ型病院経過短期３・夜勤減・未				夜勤の勤務条件に関する基準を満たさない場合	− 25 単位		1,048	
23	1171	経ユ型病院経過短期４・未			要介護４ 1,195 単位				1,159	
23	1175	経ユ型病院経過短期４・夜勤減・未				夜勤の勤務条件に関する基準を満たさない場合	− 25 単位		1,135	
23	1176	経ユ型病院経過短期５・未			要介護５ 1,284 単位				1,245	
23	1180	経ユ型病院経過短期５・夜勤減・未				夜勤の勤務条件に関する基準を満たさない場合	− 25 単位		1,221	
23	2611	特定病院療養短期１	(5)特定病院療養病床短期入所療養介護費（日帰りショート）	(一) 3時間以上 4時間未満 684 単位					684	1回につき
23	2615	特定病院療養短期１・夜勤減				夜勤の勤務条件に関する基準を満たさない場合	− 25 単位		659	
23	2621	特定病院療養短期２		(二) 4時間以上 6時間未満 948 単位					948	
23	2625	特定病院療養短期２・夜勤減				夜勤の勤務条件に関する基準を満たさない場合	− 25 単位		923	
23	2631	特定病院療養短期３		(三) 6時間以上 8時間未満 1,316 単位					1,316	
23	2635	特定病院療養短期３・夜勤減				夜勤の勤務条件に関する基準を満たさない場合	− 25 単位		1,291	

サービスコード		サービス内容略称	算定項目						合成単位数	算定単位
種類	項目									
23	C201	病院療短高齢者虐待防止未実施減算Ⅰⅰ1	高齢者虐待防止措置未実施減算	(1)病院療養病床短期入所療養介護費	(一)病院療養病床短期入所療養介護費（Ⅰ）	a病院療養病床短期入所療養介護費（ⅰ）	要介護1	7 単位減算	-7	1日につき
23	C202	病院療短高齢者虐待防止未実施減算Ⅰⅰ2					要介護2	8 単位減算	-8	
23	C203	病院療短高齢者虐待防止未実施減算Ⅰⅰ3					要介護3	11 単位減算	-11	
23	C204	病院療短高齢者虐待防止未実施減算Ⅰⅰ4					要介護4	12 単位減算	-12	
23	C205	病院療短高齢者虐待防止未実施減算Ⅰⅰ5					要介護5	13 単位減算	-13	
23	C206	病院療短高齢者虐待防止未実施減算Ⅰⅱ1				b病院療養病床短期入所療養介護費（ⅱ）	要介護1	8 単位減算	-8	
23	C207	病院療短高齢者虐待防止未実施減算Ⅰⅱ2					要介護2	9 単位減算	-9	
23	C208	病院療短高齢者虐待防止未実施減算Ⅰⅱ3					要介護3	11 単位減算	-11	
23	C209	病院療短高齢者虐待防止未実施減算Ⅰⅱ4					要介護4	12 単位減算	-12	
23	C210	病院療短高齢者虐待防止未実施減算Ⅰⅱ5					要介護5	13 単位減算	-13	
23	C211	病院療短高齢者虐待防止未実施減算Ⅰⅲ1				c病院療養病床短期入所療養介護費（ⅲ）	要介護1	7 単位減算	-7	
23	C212	病院療短高齢者虐待防止未実施減算Ⅰⅲ2					要介護2	9 単位減算	-9	
23	C213	病院療短高齢者虐待防止未実施減算Ⅰⅲ3					要介護3	11 単位減算	-11	
23	C214	病院療短高齢者虐待防止未実施減算Ⅰⅲ4					要介護4	12 単位減算	-12	
23	C215	病院療短高齢者虐待防止未実施減算Ⅰⅲ5					要介護5	13 単位減算	-13	
23	C216	病院療短高齢者虐待防止未実施減算Ⅰⅳ1				d病院療養病床短期入所療養介護費（ⅳ）	要介護1	8 単位減算	-8	
23	C217	病院療短高齢者虐待防止未実施減算Ⅰⅳ2					要介護2	9 単位減算	-9	
23	C218	病院療短高齢者虐待防止未実施減算Ⅰⅳ3					要介護3	12 単位減算	-12	
23	C219	病院療短高齢者虐待防止未実施減算Ⅰⅳ4					要介護4	13 単位減算	-13	
23	C220	病院療短高齢者虐待防止未実施減算Ⅰⅳ5					要介護5	14 単位減算	-14	
23	C221	病院療短高齢者虐待防止未実施減算Ⅰⅴ1				e病院療養病床短期入所療養介護費（ⅴ）	要介護1	9 単位減算	-9	
23	C222	病院療短高齢者虐待防止未実施減算Ⅰⅴ2					要介護2	10 単位減算	-10	
23	C223	病院療短高齢者虐待防止未実施減算Ⅰⅴ3					要介護3	12 単位減算	-12	
23	C224	病院療短高齢者虐待防止未実施減算Ⅰⅴ4					要介護4	13 単位減算	-13	
23	C225	病院療短高齢者虐待防止未実施減算Ⅰⅴ5					要介護5	14 単位減算	-14	
23	C226	病院療短高齢者虐待防止未実施減算Ⅰⅵ1				f病院療養病床短期入所療養介護費（ⅵ）	要介護1	9 単位減算	-9	
23	C227	病院療短高齢者虐待防止未実施減算Ⅰⅵ2					要介護2	10 単位減算	-10	
23	C228	病院療短高齢者虐待防止未実施減算Ⅰⅵ3					要介護3	12 単位減算	-12	
23	C229	病院療短高齢者虐待防止未実施減算Ⅰⅵ4					要介護4	13 単位減算	-13	
23	C230	病院療短高齢者虐待防止未実施減算Ⅰⅵ5					要介護5	14 単位減算	-14	
23	C231	病院療短高齢者虐待防止未実施減算Ⅱⅰ1			(二)病院療養病床短期入所療養介護費（Ⅱ）	a病院療養病床短期入所療養介護費（ⅰ）	要介護1	7 単位減算	-7	
23	C232	病院療短高齢者虐待防止未実施減算Ⅱⅰ2					要介護2	8 単位減算	-8	
23	C233	病院療短高齢者虐待防止未実施減算Ⅱⅰ3					要介護3	9 単位減算	-9	
23	C234	病院療短高齢者虐待防止未実施減算Ⅱⅰ4					要介護4	11 単位減算	-11	
23	C235	病院療短高齢者虐待防止未実施減算Ⅱⅰ5					要介護5	11 単位減算	-11	
23	C236	病院療短高齢者虐待防止未実施減算Ⅱⅱ1				b病院療養病床短期入所療養介護費（ⅱ）	要介護1	7 単位減算	-7	
23	C237	病院療短高齢者虐待防止未実施減算Ⅱⅱ2					要介護2	8 単位減算	-8	
23	C238	病院療短高齢者虐待防止未実施減算Ⅱⅱ3					要介護3	10 単位減算	-10	
23	C239	病院療短高齢者虐待防止未実施減算Ⅱⅱ4					要介護4	11 単位減算	-11	
23	C240	病院療短高齢者虐待防止未実施減算Ⅱⅱ5					要介護5	12 単位減算	-12	
23	C241	病院療短高齢者虐待防止未実施減算Ⅱⅲ1				c病院療養病床短期入所療養介護費（ⅲ）	要介護1	8 単位減算	-8	
23	C242	病院療短高齢者虐待防止未実施減算Ⅱⅲ2					要介護2	9 単位減算	-9	
23	C243	病院療短高齢者虐待防止未実施減算Ⅱⅲ3					要介護3	10 単位減算	-10	
23	C244	病院療短高齢者虐待防止未実施減算Ⅱⅲ4					要介護4	12 単位減算	-12	
23	C245	病院療短高齢者虐待防止未実施減算Ⅱⅲ5					要介護5	12 単位減算	-12	
23	C246	病院療短高齢者虐待防止未実施減算Ⅱⅳ1				d病院療養病床短期入所療養介護費（ⅳ）	要介護1	8 単位減算	-8	
23	C247	病院療短高齢者虐待防止未実施減算Ⅱⅳ2					要介護2	9 単位減算	-9	
23	C248	病院療短高齢者虐待防止未実施減算Ⅱⅳ3					要介護3	11 単位減算	-11	
23	C249	病院療短高齢者虐待防止未実施減算Ⅱⅳ4					要介護4	12 単位減算	-12	
23	C250	病院療短高齢者虐待防止未実施減算Ⅱⅳ5					要介護5	13 単位減算	-13	
23	C251	病院療短高齢者虐待防止未実施減算Ⅲⅰ1			(三)病院療養病床短期入所療養介護費（Ⅲ）	a病院療養病床短期入所療養介護費（ⅰ）	要介護1	6 単位減算	-6	
23	C252	病院療短高齢者虐待防止未実施減算Ⅲⅰ2					要介護2	8 単位減算	-8	
23	C253	病院療短高齢者虐待防止未実施減算Ⅲⅰ3					要介護3	9 単位減算	-9	
23	C254	病院療短高齢者虐待防止未実施減算Ⅲⅰ4					要介護4	11 単位減算	-11	
23	C255	病院療短高齢者虐待防止未実施減算Ⅲⅰ5					要介護5	11 単位減算	-11	
23	C256	病院療短高齢者虐待防止未実施減算Ⅲⅱ1				b病院療養病床短期入所療養介護費（ⅱ）	要介護1	8 単位減算	-8	
23	C257	病院療短高齢者虐待防止未実施減算Ⅲⅱ2					要介護2	9 単位減算	-9	
23	C258	病院療短高齢者虐待防止未実施減算Ⅲⅱ3					要介護3	10 単位減算	-10	
23	C259	病院療短高齢者虐待防止未実施減算Ⅲⅱ4					要介護4	12 単位減算	-12	
23	C260	病院療短高齢者虐待防止未実施減算Ⅲⅱ5					要介護5	12 単位減算	-12	

サービスコード 種類	項目	サービス内容略称	算定項目						合成単位数	算定単位
23	C261	病院療短高齢者虐待防止未実施減算経Ⅰⅰ1	高齢者虐待防止措置未実施減算	(2)病院療養病床経過型短期入所療養介護費	(一)病院療養病床経過型短期入所療養介護費(Ⅰ)	a病院療養病床経過型短期入所療養介護費(ⅰ)	要介護1	7 単位減算	-7	1日につき
23	C262	病院療短高齢者虐待防止未実施減算経Ⅰⅰ2					要介護2	8 単位減算	-8	
23	C263	病院療短高齢者虐待防止未実施減算経Ⅰⅰ3					要介護3	10 単位減算	-10	
23	C264	病院療短高齢者虐待防止未実施減算経Ⅰⅰ4					要介護4	11 単位減算	-11	
23	C265	病院療短高齢者虐待防止未実施減算経Ⅰⅰ5					要介護5	12 単位減算	-12	
23	C266	病院療短高齢者虐待防止未実施減算経Ⅰⅱ1				b病院療養病床経過型短期入所療養介護費(ⅱ)	要介護1	8 単位減算	-8	
23	C267	病院療短高齢者虐待防止未実施減算経Ⅰⅱ2					要介護2	10 単位減算	-10	
23	C268	病院療短高齢者虐待防止未実施減算経Ⅰⅱ3					要介護3	11 単位減算	-11	
23	C269	病院療短高齢者虐待防止未実施減算経Ⅰⅱ4					要介護4	12 単位減算	-12	
23	C270	病院療短高齢者虐待防止未実施減算経Ⅰⅱ5					要介護5	13 単位減算	-13	
23	C271	病院療短高齢者虐待防止未実施減算経Ⅱⅰ1			(二)病院療養病床経過型短期入所療養介護費(Ⅱ)	a病院療養病床経過型短期入所療養介護費(ⅰ)	要介護1	7 単位減算	-7	
23	C272	病院療短高齢者虐待防止未実施減算経Ⅱⅰ2					要介護2	8 単位減算	-8	
23	C273	病院療短高齢者虐待防止未実施減算経Ⅱⅰ3					要介護3	10 単位減算	-10	
23	C274	病院療短高齢者虐待防止未実施減算経Ⅱⅰ4					要介護4	10 単位減算	-10	
23	C275	病院療短高齢者虐待防止未実施減算経Ⅱⅰ5					要介護5	11 単位減算	-11	
23	C276	病院療短高齢者虐待防止未実施減算経Ⅱⅱ1				b病院療養病床経過型短期入所療養介護費(ⅱ)	要介護1	8 単位減算	-8	
23	C277	病院療短高齢者虐待防止未実施減算経Ⅱⅱ2					要介護2	10 単位減算	-10	
23	C278	病院療短高齢者虐待防止未実施減算経Ⅱⅱ3					要介護3	11 単位減算	-11	
23	C279	病院療短高齢者虐待防止未実施減算経Ⅱⅱ4					要介護4	11 単位減算	-11	
23	C280	病院療短高齢者虐待防止未実施減算経Ⅱⅱ5					要介護5	12 単位減算	-12	
23	C281	病院療短高齢者虐待防止未実施減算ユⅠ1		(3)ユニット型病院療養病床短期入所療養介護費	(一)ユニット型病院療養病床短期入所療養介護費(Ⅰ)		要介護1	9 単位減算	-9	
23	C282	病院療短高齢者虐待防止未実施減算ユⅠ2					要介護2	10 単位減算	-10	
23	C283	病院療短高齢者虐待防止未実施減算ユⅠ3					要介護3	12 単位減算	-12	
23	C284	病院療短高齢者虐待防止未実施減算ユⅠ4					要介護4	13 単位減算	-13	
23	C285	病院療短高齢者虐待防止未実施減算ユⅠ5					要介護5	14 単位減算	-14	
23	C286	病院療短高齢者虐待防止未実施減算ユⅡ1			(二)ユニット型病院療養病床短期入所療養介護費(Ⅱ)		要介護1	9 単位減算	-9	
23	C287	病院療短高齢者虐待防止未実施減算ユⅡ2					要介護2	10 単位減算	-10	
23	C288	病院療短高齢者虐待防止未実施減算ユⅡ3					要介護3	12 単位減算	-12	
23	C289	病院療短高齢者虐待防止未実施減算ユⅡ4					要介護4	13 単位減算	-13	
23	C290	病院療短高齢者虐待防止未実施減算ユⅡ5					要介護5	14 単位減算	-14	
23	C291	病院療短高齢者虐待防止未実施減算ユⅢ1			(三)ユニット型病院療養病床短期入所療養介護費(Ⅲ)		要介護1	9 単位減算	-9	
23	C292	病院療短高齢者虐待防止未実施減算ユⅢ2					要介護2	10 単位減算	-10	
23	C293	病院療短高齢者虐待防止未実施減算ユⅢ3					要介護3	12 単位減算	-12	
23	C294	病院療短高齢者虐待防止未実施減算ユⅢ4					要介護4	13 単位減算	-13	
23	C295	病院療短高齢者虐待防止未実施減算ユⅢ5					要介護5	14 単位減算	-14	
23	C296	病院療短高齢者虐待防止未実施減算経ユⅠ1			(四)経過的ユニット型病院療養病床短期入所療養介護費(Ⅰ)		要介護1	9 単位減算	-9	
23	C297	病院療短高齢者虐待防止未実施減算経ユⅠ2					要介護2	10 単位減算	-10	
23	C298	病院療短高齢者虐待防止未実施減算経ユⅠ3					要介護3	12 単位減算	-12	
23	C299	病院療短高齢者虐待防止未実施減算経ユⅠ4					要介護4	13 単位減算	-13	
23	C300	病院療短高齢者虐待防止未実施減算経ユⅠ5					要介護5	14 単位減算	-14	
23	C301	病院療短高齢者虐待防止未実施減算経ユⅡ1			(五)経過的ユニット型病院療養病床短期入所療養介護費(Ⅱ)		要介護1	9 単位減算	-9	
23	C302	病院療短高齢者虐待防止未実施減算経ユⅡ2					要介護2	10 単位減算	-10	
23	C303	病院療短高齢者虐待防止未実施減算経ユⅡ3					要介護3	12 単位減算	-12	
23	C304	病院療短高齢者虐待防止未実施減算経ユⅡ4					要介護4	13 単位減算	-13	
23	C305	病院療短高齢者虐待防止未実施減算経ユⅡ5					要介護5	14 単位減算	-14	
23	C306	病院療短高齢者虐待防止未実施減算経ユⅢ1			(六)経過的ユニット型病院療養病床短期入所療養介護費(Ⅲ)		要介護1	9 単位減算	-9	
23	C307	病院療短高齢者虐待防止未実施減算経ユⅢ2					要介護2	10 単位減算	-10	
23	C308	病院療短高齢者虐待防止未実施減算経ユⅢ3					要介護3	12 単位減算	-12	
23	C309	病院療短高齢者虐待防止未実施減算経ユⅢ4					要介護4	13 単位減算	-13	
23	C310	病院療短高齢者虐待防止未実施減算経ユⅢ5					要介護5	14 単位減算	-14	
23	C311	病院療短高齢者虐待防止未実施減算ユ経1		(4)ユニット型病院療養病床経過型短期入所療養介護費	(一)ユニット型病院療養病床経過型短期入所療養介護費		要介護1	9 単位減算	-9	
23	C312	病院療短高齢者虐待防止未実施減算ユ経2					要介護2	10 単位減算	-10	
23	C313	病院療短高齢者虐待防止未実施減算ユ経3					要介護3	11 単位減算	-11	
23	C314	病院療短高齢者虐待防止未実施減算ユ経4					要介護4	12 単位減算	-12	
23	C315	病院療短高齢者虐待防止未実施減算ユ経5					要介護5	13 単位減算	-13	
23	C316	病院療短高齢者虐待防止未実施減算経ユ経1			(二)経過的ユニット型病院療養病床経過型短期入所療養介護費		要介護1	9 単位減算	-9	
23	C317	病院療短高齢者虐待防止未実施減算経ユ経2					要介護2	10 単位減算	-10	
23	C318	病院療短高齢者虐待防止未実施減算経ユ経3					要介護3	11 単位減算	-11	
23	C319	病院療短高齢者虐待防止未実施減算経ユ経4					要介護4	12 単位減算	-12	
23	C320	病院療短高齢者虐待防止未実施減算経ユ経5					要介護5	13 単位減算	-13	
23	C321	病院療短高齢者虐待防止未実施減算特1		(5)特定病院療養病床短期入所療養介護費 日帰りショート	(一)3時間以上4時間未満			7 単位減算	-7	1回につき
23	C322	病院療短高齢者虐待防止未実施減算特2			(二)4時間以上6時間未満			9 単位減算	-9	
23	C323	病院療短高齢者虐待防止未実施減算特3			(三)6時間以上8時間未満			13 単位減算	-13	

サービスコード		サービス内容略称	算定項目						合成単位数	算定単位
種類	項目									
23	D201	病院療短業務継続計画未策定減算Ⅰⅰ1	業務継続計画未策定減算	(1)病院療養病床短期入所療養介護費	(一)病院療養病床短期入所療養介護費(Ⅰ)	a病院療養病床短期入所療養介護費(ⅰ)	要介護1	7 単位減算	-7	1日につき
23	D202	病院療短業務継続計画未策定減算Ⅰⅰ2					要介護2	8 単位減算	-8	
23	D203	病院療短業務継続計画未策定減算Ⅰⅰ3					要介護3	11 単位減算	-11	
23	D204	病院療短業務継続計画未策定減算Ⅰⅰ4					要介護4	12 単位減算	-12	
23	D205	病院療短業務継続計画未策定減算Ⅰⅰ5					要介護5	13 単位減算	-13	
23	D206	病院療短業務継続計画未策定減算Ⅰⅱ1				b病院療養病床短期入所療養介護費(ⅱ)	要介護1	8 単位減算	-8	
23	D207	病院療短業務継続計画未策定減算Ⅰⅱ2					要介護2	9 単位減算	-9	
23	D208	病院療短業務継続計画未策定減算Ⅰⅱ3					要介護3	11 単位減算	-11	
23	D209	病院療短業務継続計画未策定減算Ⅰⅱ4					要介護4	12 単位減算	-12	
23	D210	病院療短業務継続計画未策定減算Ⅰⅱ5					要介護5	13 単位減算	-13	
23	D211	病院療短業務継続計画未策定減算Ⅰⅲ1				c病院療養病床短期入所療養介護費(ⅲ)	要介護1	7 単位減算	-7	
23	D212	病院療短業務継続計画未策定減算Ⅰⅲ2					要介護2	9 単位減算	-9	
23	D213	病院療短業務継続計画未策定減算Ⅰⅲ3					要介護3	11 単位減算	-11	
23	D214	病院療短業務継続計画未策定減算Ⅰⅲ4					要介護4	12 単位減算	-12	
23	D215	病院療短業務継続計画未策定減算Ⅰⅲ5					要介護5	13 単位減算	-13	
23	D216	病院療短業務継続計画未策定減算Ⅰⅳ1				d病院療養病床短期入所療養介護費(ⅳ)	要介護1	8 単位減算	-8	
23	D217	病院療短業務継続計画未策定減算Ⅰⅳ2					要介護2	9 単位減算	-9	
23	D218	病院療短業務継続計画未策定減算Ⅰⅳ3					要介護3	12 単位減算	-12	
23	D219	病院療短業務継続計画未策定減算Ⅰⅳ4					要介護4	13 単位減算	-13	
23	D220	病院療短業務継続計画未策定減算Ⅰⅳ5					要介護5	14 単位減算	-14	
23	D221	病院療短業務継続計画未策定減算Ⅰⅴ1				e病院療養病床短期入所療養介護費(ⅴ)	要介護1	9 単位減算	-9	
23	D222	病院療短業務継続計画未策定減算Ⅰⅴ2					要介護2	10 単位減算	-10	
23	D223	病院療短業務継続計画未策定減算Ⅰⅴ3					要介護3	12 単位減算	-12	
23	D224	病院療短業務継続計画未策定減算Ⅰⅴ4					要介護4	13 単位減算	-13	
23	D225	病院療短業務継続計画未策定減算Ⅰⅴ5					要介護5	14 単位減算	-14	
23	D226	病院療短業務継続計画未策定減算Ⅰⅵ1				f病院療養病床短期入所療養介護費(ⅵ)	要介護1	9 単位減算	-9	
23	D227	病院療短業務継続計画未策定減算Ⅰⅵ2					要介護2	10 単位減算	-10	
23	D228	病院療短業務継続計画未策定減算Ⅰⅵ3					要介護3	12 単位減算	-12	
23	D229	病院療短業務継続計画未策定減算Ⅰⅵ4					要介護4	13 単位減算	-13	
23	D230	病院療短業務継続計画未策定減算Ⅰⅵ5					要介護5	14 単位減算	-14	
23	D231	病院療短業務継続計画未策定減算Ⅱⅰ1			(二)病院療養病床短期入所療養介護費(Ⅱ)	a病院療養病床短期入所療養介護費(ⅰ)	要介護1	7 単位減算	-7	
23	D232	病院療短業務継続計画未策定減算Ⅱⅰ2					要介護2	8 単位減算	-8	
23	D233	病院療短業務継続計画未策定減算Ⅱⅰ3					要介護3	9 単位減算	-9	
23	D234	病院療短業務継続計画未策定減算Ⅱⅰ4					要介護4	11 単位減算	-11	
23	D235	病院療短業務継続計画未策定減算Ⅱⅰ5					要介護5	11 単位減算	-11	
23	D236	病院療短業務継続計画未策定減算Ⅱⅱ1				b病院療養病床短期入所療養介護費(ⅱ)	要介護1	7 単位減算	-7	
23	D237	病院療短業務継続計画未策定減算Ⅱⅱ2					要介護2	8 単位減算	-8	
23	D238	病院療短業務継続計画未策定減算Ⅱⅱ3					要介護3	10 単位減算	-10	
23	D239	病院療短業務継続計画未策定減算Ⅱⅱ4					要介護4	11 単位減算	-11	
23	D240	病院療短業務継続計画未策定減算Ⅱⅱ5					要介護5	12 単位減算	-12	
23	D241	病院療短業務継続計画未策定減算Ⅱⅲ1				c病院療養病床短期入所療養介護費(ⅲ)	要介護1	8 単位減算	-8	
23	D242	病院療短業務継続計画未策定減算Ⅱⅲ2					要介護2	9 単位減算	-9	
23	D243	病院療短業務継続計画未策定減算Ⅱⅲ3					要介護3	10 単位減算	-10	
23	D244	病院療短業務継続計画未策定減算Ⅱⅲ4					要介護4	12 単位減算	-12	
23	D245	病院療短業務継続計画未策定減算Ⅱⅲ5					要介護5	12 単位減算	-12	
23	D246	病院療短業務継続計画未策定減算Ⅱⅳ1				d病院療養病床短期入所療養介護費(ⅳ)	要介護1	8 単位減算	-8	
23	D247	病院療短業務継続計画未策定減算Ⅱⅳ2					要介護2	9 単位減算	-9	
23	D248	病院療短業務継続計画未策定減算Ⅱⅳ3					要介護3	11 単位減算	-11	
23	D249	病院療短業務継続計画未策定減算Ⅱⅳ4					要介護4	12 単位減算	-12	
23	D250	病院療短業務継続計画未策定減算Ⅱⅳ5					要介護5	13 単位減算	-13	
23	D251	病院療短業務継続計画未策定減算Ⅲⅰ1			(三)病院療養病床短期入所療養介護費(Ⅲ)	a病院療養病床短期入所療養介護費(ⅰ)	要介護1	6 単位減算	-6	
23	D252	病院療短業務継続計画未策定減算Ⅲⅰ2					要介護2	8 単位減算	-8	
23	D253	病院療短業務継続計画未策定減算Ⅲⅰ3					要介護3	9 単位減算	-9	
23	D254	病院療短業務継続計画未策定減算Ⅲⅰ4					要介護4	11 単位減算	-11	
23	D255	病院療短業務継続計画未策定減算Ⅲⅰ5					要介護5	11 単位減算	-11	
23	D256	病院療短業務継続計画未策定減算Ⅲⅱ1				b病院療養病床短期入所療養介護費(ⅱ)	要介護1	8 単位減算	-8	
23	D257	病院療短業務継続計画未策定減算Ⅲⅱ2					要介護2	9 単位減算	-9	
23	D258	病院療短業務継続計画未策定減算Ⅲⅱ3					要介護3	10 単位減算	-10	
23	D259	病院療短業務継続計画未策定減算Ⅲⅱ4					要介護4	12 単位減算	-12	
23	D260	病院療短業務継続計画未策定減算Ⅲⅱ5					要介護5	12 単位減算	-12	

サービスコード 種類	サービスコード 項目	サービス内容略称	算定項目						合成単位数	算定単位
23	D261	病院療短業務継続計画未策定減算経Ⅰi1	業務継続計画未策定減算	(2)病院療養病床経過型短期入所療養介護費	(一)病院療養病床経過型短期入所療養介護費(Ⅰ)	a病院療養病床経過型短期入所療養介護費(i)	要介護1	7 単位減算	-7	1日につき
23	D262	病院療短業務継続計画未策定減算経Ⅰi2					要介護2	8 単位減算	-8	
23	D263	病院療短業務継続計画未策定減算経Ⅰi3					要介護3	10 単位減算	-10	
23	D264	病院療短業務継続計画未策定減算経Ⅰi4					要介護4	11 単位減算	-11	
23	D265	病院療短業務継続計画未策定減算経Ⅰi5					要介護5	12 単位減算	-12	
23	D266	病院療短業務継続計画未策定減算経Ⅰii1				b病院療養病床経過型短期入所療養介護費(ii)	要介護1	8 単位減算	-8	
23	D267	病院療短業務継続計画未策定減算経Ⅰii2					要介護2	10 単位減算	-10	
23	D268	病院療短業務継続計画未策定減算経Ⅰii3					要介護3	11 単位減算	-11	
23	D269	病院療短業務継続計画未策定減算経Ⅰii4					要介護4	12 単位減算	-12	
23	D270	病院療短業務継続計画未策定減算経Ⅰii5					要介護5	13 単位減算	-13	
23	D271	病院療短業務継続計画未策定減算経Ⅱi1			(二)病院療養病床経過型短期入所療養介護費(Ⅱ)	a病院療養病床経過型短期入所療養介護費(i)	要介護1	7 単位減算	-7	
23	D272	病院療短業務継続計画未策定減算経Ⅱi2					要介護2	8 単位減算	-8	
23	D273	病院療短業務継続計画未策定減算経Ⅱi3					要介護3	10 単位減算	-10	
23	D274	病院療短業務継続計画未策定減算経Ⅱi4					要介護4	10 単位減算	-10	
23	D275	病院療短業務継続計画未策定減算経Ⅱi5					要介護5	11 単位減算	-11	
23	D276	病院療短業務継続計画未策定減算経Ⅱii1				b病院療養病床経過型短期入所療養介護費(ii)	要介護1	8 単位減算	-8	
23	D277	病院療短業務継続計画未策定減算経Ⅱii2					要介護2	10 単位減算	-10	
23	D278	病院療短業務継続計画未策定減算経Ⅱii3					要介護3	11 単位減算	-11	
23	D279	病院療短業務継続計画未策定減算経Ⅱii4					要介護4	11 単位減算	-11	
23	D280	病院療短業務継続計画未策定減算経Ⅱii5					要介護5	12 単位減算	-12	
23	D281	病院療短業務継続計画未策定減算ユⅠ1		(3)ユニット型病院療養病床短期入所療養介護費	(一)ユニット型病院療養病床短期入所療養介護費(Ⅰ)		要介護1	9 単位減算	-9	
23	D282	病院療短業務継続計画未策定減算ユⅠ2					要介護2	10 単位減算	-10	
23	D283	病院療短業務継続計画未策定減算ユⅠ3					要介護3	12 単位減算	-12	
23	D284	病院療短業務継続計画未策定減算ユⅠ4					要介護4	13 単位減算	-13	
23	D285	病院療短業務継続計画未策定減算ユⅠ5					要介護5	14 単位減算	-14	
23	D286	病院療短業務継続計画未策定減算ユⅡ1			(二)ユニット型病院療養病床短期入所療養介護費(Ⅱ)		要介護1	9 単位減算	-9	
23	D287	病院療短業務継続計画未策定減算ユⅡ2					要介護2	10 単位減算	-10	
23	D288	病院療短業務継続計画未策定減算ユⅡ3					要介護3	12 単位減算	-12	
23	D289	病院療短業務継続計画未策定減算ユⅡ4					要介護4	13 単位減算	-13	
23	D290	病院療短業務継続計画未策定減算ユⅡ5					要介護5	14 単位減算	-14	
23	D291	病院療短業務継続計画未策定減算ユⅢ1			(三)ユニット型病院療養病床短期入所療養介護費(Ⅲ)		要介護1	9 単位減算	-9	
23	D292	病院療短業務継続計画未策定減算ユⅢ2					要介護2	10 単位減算	-10	
23	D293	病院療短業務継続計画未策定減算ユⅢ3					要介護3	12 単位減算	-12	
23	D294	病院療短業務継続計画未策定減算ユⅢ4					要介護4	13 単位減算	-13	
23	D295	病院療短業務継続計画未策定減算ユⅢ5					要介護5	14 単位減算	-14	
23	D296	病院療短業務継続計画未策定減算経ユⅠ1			(四)経過的ユニット型病院療養病床短期入所療養介護費(Ⅰ)		要介護1	9 単位減算	-9	
23	D297	病院療短業務継続計画未策定減算経ユⅠ2					要介護2	10 単位減算	-10	
23	D298	病院療短業務継続計画未策定減算経ユⅠ3					要介護3	12 単位減算	-12	
23	D299	病院療短業務継続計画未策定減算経ユⅠ4					要介護4	13 単位減算	-13	
23	D300	病院療短業務継続計画未策定減算経ユⅠ5					要介護5	14 単位減算	-14	
23	D301	病院療短業務継続計画未策定減算経ユⅡ1			(五)経過的ユニット型病院療養病床短期入所療養介護費(Ⅱ)		要介護1	9 単位減算	-9	
23	D302	病院療短業務継続計画未策定減算経ユⅡ2					要介護2	10 単位減算	-10	
23	D303	病院療短業務継続計画未策定減算経ユⅡ3					要介護3	12 単位減算	-12	
23	D304	病院療短業務継続計画未策定減算経ユⅡ4					要介護4	13 単位減算	-13	
23	D305	病院療短業務継続計画未策定減算経ユⅡ5					要介護5	14 単位減算	-14	
23	D306	病院療短業務継続計画未策定減算経ユⅢ1			(六)経過的ユニット型病院療養病床短期入所療養介護費(Ⅲ)		要介護1	9 単位減算	-9	
23	D307	病院療短業務継続計画未策定減算経ユⅢ2					要介護2	10 単位減算	-10	
23	D308	病院療短業務継続計画未策定減算経ユⅢ3					要介護3	12 単位減算	-12	
23	D309	病院療短業務継続計画未策定減算経ユⅢ4					要介護4	13 単位減算	-13	
23	D310	病院療短業務継続計画未策定減算経ユⅢ5					要介護5	14 単位減算	-14	
23	D311	病院療短業務継続計画未策定減算ユ経1		(4)ユニット型病院療養病床経過型短期入所療養介護費	(一)ユニット型病院療養病床経過型短期入所療養介護費		要介護1	9 単位減算	-9	
23	D312	病院療短業務継続計画未策定減算ユ経2					要介護2	10 単位減算	-10	
23	D313	病院療短業務継続計画未策定減算ユ経3					要介護3	11 単位減算	-11	
23	D314	病院療短業務継続計画未策定減算ユ経4					要介護4	12 単位減算	-12	
23	D315	病院療短業務継続計画未策定減算ユ経5					要介護5	13 単位減算	-13	
23	D316	病院療短業務継続計画未策定減算経ユ経1			(二)経過的ユニット型病院療養病床経過型短期入所療養介護費		要介護1	9 単位減算	-9	
23	D317	病院療短業務継続計画未策定減算経ユ経2					要介護2	10 単位減算	-10	
23	D318	病院療短業務継続計画未策定減算経ユ経3					要介護3	11 単位減算	-11	
23	D319	病院療短業務継続計画未策定減算経ユ経4					要介護4	12 単位減算	-12	
23	D320	病院療短業務継続計画未策定減算経ユ経5					要介護5	13 単位減算	-13	
23	D321	病院療短業務継続計画未策定減算特1		(5)特定病院療養病床短期入所療養介護費 日帰りショート)	(一)3時間以上4時間未満			7 単位減算	-7	1回につき
23	D322	病院療短業務継続計画未策定減算特2			(二)4時間以上6時間未満			9 単位減算	-9	
23	D323	病院療短業務継続計画未策定減算特3			(三)6時間以上8時間未満			13 単位減算	-13	
23	2601	病院療養療養環境減算	病院療養病床療養環境減算の基準に該当する場合		廊下幅が設備基準を満たさない場合			25 単位減算	-25	1日につき
23	2700	病院療養医師配置減算	医師の配置について、医療法施行規則第49条の規定が適用されている場合					12 単位減算	-12	
23	2591	病院療短夜間勤務等看護加算Ⅰ	夜間勤務等看護加算		夜間勤務等看護(Ⅰ)			23 単位加算	23	
23	2592	病院療短夜間勤務等看護加算Ⅱ			夜間勤務等看護(Ⅱ)			14 単位加算	14	
23	2593	病院療短夜間勤務等看護加算Ⅲ			夜間勤務等看護(Ⅲ)			14 単位加算	14	
23	2594	病院療短夜間勤務等看護加算Ⅳ			夜間勤務等看護(Ⅳ)			7 単位加算	7	
23	2706	病院療短認知症緊急対応加算	認知症行動・心理症状緊急対応加算(7日間限度)					200 単位加算	200	
23	2777	病院療短緊急短期入所受入加算	緊急短期入所受入加算(7日(やむを得ない事情がある場合は14日)を限度)					90 単位加算	90	
23	2704	病院療短若年性認知症受入加算1	若年性認知症利用者受入加算		(1)～(4)のサービス費を算定している場合			120 単位加算	120	
23	2705	病院療短若年性認知症受入加算2			(5)のサービス費を算定している場合			60 単位加算	60	

サービスコード 種類	項目	サービス内容略称	算定項目				合成単位数	算定単位
23	2920	病院療養短期送迎加算	送迎を行う場合			184 単位加算	184	片道につき
23	2192	病院療短口腔連携強化加算	(6) 口腔連携強化加算			50 単位加算	50	月1回限度
23	2775	病院療養短期療養食加算	(7) 療養食加算 (1日に3回を限度)			8 単位加算	8	1回につき
23	2714	病院療養短期認知症専門ケア加算Ⅰ	(8) 認知症専門ケア加算	(一)認知症専門ケア加算 (Ⅰ)		3 単位加算	3	1日につき
23	2715	病院療養短期認知症専門ケア加算Ⅱ		(二)認知症専門ケア加算 (Ⅱ)		4 単位加算	4	
23	2237	病院療短生産性向上推進体制加算Ⅰ	(10) 生産性向上推進体制加算	(一)生産性向上推進体制加算 (Ⅰ)		100 単位加算	100	1月につき
23	2238	病院療短生産性向上推進体制加算Ⅱ		(二)生産性向上推進体制加算(Ⅱ)		10 単位加算	10	
23	2699	病院療短サービス提供体制加算Ⅰ	(1) サービス提供体制強化加算	(一)サービス提供体制強化加算 (Ⅰ)		22 単位加算	22	1日につき
23	2707	病院療短サービス提供体制加算Ⅱ		(二)サービス提供体制強化加算 (Ⅱ)		18 単位加算	18	
23	2703	病院療短サービス提供体制加算Ⅲ		(三)サービス提供体制強化加算 (Ⅲ)		6 単位加算	6	
23	2709	病院療短処遇改善加算Ⅰ	(12) 介護職員等処遇改善加算	(一)介護職員等処遇改善加算 (Ⅰ)		所定単位数の 51/1000 加算		1月につき
23	2710	病院療短処遇改善加算Ⅱ		(二)介護職員等処遇改善加算 (Ⅱ)		所定単位数の 47/1000 加算		
23	2711	病院療短処遇改善加算Ⅲ		(三)介護職員等処遇改善加算 (Ⅲ)		所定単位数の 36/1000 加算		
23	2680	病院療短処遇改善加算Ⅳ		(四)介護職員等処遇改善加算 (Ⅳ)		所定単位数の 29/1000 加算		
23	2681	病院療短処遇改善加算Ⅴ1		(五)介護職員等処遇改善加算 (Ⅴ)	(一)介護職員等処遇改善加算 (Ⅴ) (1)	所定単位数の 46/1000 加算		
23	2682	病院療短処遇改善加算Ⅴ2			(二)介護職員等処遇改善加算 (Ⅴ) (2)	所定単位数の 44/1000 加算		
23	2683	病院療短処遇改善加算Ⅴ3			(三)介護職員等処遇改善加算 (Ⅴ) (3)	所定単位数の 42/1000 加算		
23	2684	病院療短処遇改善加算Ⅴ4			(四)介護職員等処遇改善加算 (Ⅴ) (4)	所定単位数の 40/1000 加算		
23	2685	病院療短処遇改善加算Ⅴ5			(五)介護職員等処遇改善加算 (Ⅴ) (5)	所定単位数の 39/1000 加算		
23	2686	病院療短処遇改善加算Ⅴ6			(六)介護職員等処遇改善加算 (Ⅴ) (6)	所定単位数の 35/1000 加算		
23	2687	病院療短処遇改善加算Ⅴ7			(七)介護職員等処遇改善加算 (Ⅴ) (7)	所定単位数の 35/1000 加算		
23	2688	病院療短処遇改善加算Ⅴ8			(八)介護職員等処遇改善加算 (Ⅴ) (8)	所定単位数の 31/1000 加算		
23	2689	病院療短処遇改善加算Ⅴ9			(九)介護職員等処遇改善加算 (Ⅴ) (9)	所定単位数の 31/1000 加算		
23	2690	病院療短処遇改善加算Ⅴ10			(十)介護職員等処遇改善加算 (Ⅴ) (10)	所定単位数の 30/1000 加算		
23	2691	病院療短処遇改善加算Ⅴ11			(十一)介護職員等処遇改善加算 (Ⅴ) (11)	所定単位数の 24/1000 加算		
23	2692	病院療短処遇改善加算Ⅴ12			(十二)介護職員等処遇改善加算 (Ⅴ) (12)	所定単位数の 26/1000 加算		
23	2693	病院療短処遇改善加算Ⅴ13			(十三)介護職員等処遇改善加算 (Ⅴ) (13)	所定単位数の 20/1000 加算		
23	2694	病院療短処遇改善加算Ⅴ14			(十四)介護職員等処遇改善加算 (Ⅴ) (14)	所定単位数の 15/1000 加算		

Ⅳ　特定入所者介護サービス費サービスコード　食費及び居住費（滞在費）の基準費用額

Ⅳ 特定入所者介護サービス費サービスコード

食費及び居住費 滞在費)の基準費用額

令和6年8月施行

サービスコード 種類	項目	サービス内容略称	算定項目				費用額(円)	算定単位
59	2111	短期生活食費	短期入所生活介護	食費		1,445 円	1,445	1日につき
59	2121	短期生活ユニット型個室		滞在費	ユニット型個室	2,066 円	2,066	
59	2122	短期生活ユニット型個室的多床室			ユニット型個室的多床室	1,728 円	1,728	
59	2123	短期生活従来型個室			従来型個室	1,231 円	1,231	
59	2124	短期生活多床室			多床室	915 円	915	
59	2211	短期老健食費	短期入所療養介護 介護老人保健施設)	食費		1,445 円	1,445	
59	2221	短期老健ユニット型個室		滞在費	ユニット型個室	2,066 円	2,066	
59	2222	短期老健ユニット型個室的多床室			ユニット型個室的多床室	1,728 円	1,728	
59	2223	短期老健従来型個室			従来型個室	1,728 円	1,728	
59	2224	短期老健多床室			多床室	437 円	437	
59	2311	短期療養食費	短期入所療養介護 療養病床を有する病院等)	食費		1,445 円	1,445	
59	2321	短期療養ユニット型個室		滞在費	ユニット型個室	2,066 円	2,066	
59	2322	短期療養ユニット型個室的多床室			ユニット型個室的多床室	1,728 円	1,728	
59	2323	短期療養従来型個室			従来型個室	1,728 円	1,728	
59	2324	短期療養多床室			多床室	437 円	437	
59	2711	短期医療院食費	短期入所療養介護 介護医療院)	食費		1,445 円	1,445	
59	2721	短期医療院ユニット型個室		滞在費	ユニット型個室	2,066 円	2,066	
59	2722	短期医療院ユニット型個室的多床室			ユニット型個室的多床室	1,728 円	1,728	
59	2723	短期医療院従来型個室			従来型個室	1,728 円	1,728	
59	2724	短期医療院多床室			多床室	437 円	437	
59	5111	福祉施設食費	介護老人福祉施設	食費		1,445 円	1,445	
59	5121	福祉施設ユニット型個室		居住費	ユニット型個室	2,066 円	2,066	
59	5122	福祉施設ユニット型個室的多床室			ユニット型個室的多床室	1,728 円	1,728	
59	5123	福祉施設従来型個室			従来型個室	1,231 円	1,231	
59	5124	福祉施設多床室			多床室	915 円	915	
59	5211	保健施設食費	介護老人保健施設	食費		1,445 円	1,445	
59	5221	保健施設ユニット型個室		居住費	ユニット型個室	2,066 円	2,066	
59	5222	保健施設ユニット型個室的多床室			ユニット型個室的多床室	1,728 円	1,728	
59	5223	保健施設従来型個室			従来型個室	1,728 円	1,728	
59	5224	保健施設多床室			多床室	437 円	437	
59	5511	介護医療院食費	介護医療院	食費		1,445 円	1,445	
59	5521	介護医療院ユニット型個室		居住費	ユニット型個室	2,066 円	2,066	
59	5522	介護医療院ユニット型個室的多床室			ユニット型個室的多床室	1,728 円	1,728	
59	5523	介護医療院従来型個室			従来型個室	1,728 円	1,728	
59	5524	介護医療院多床室			多床室	437 円	437	

水口錠二（みずぐち・じょうじ）

1968 年大阪府生まれ。医療コンサルタント。一般社団法人日本医療報酬調査会理事。医療機関勤務、医療系教育機関の事務局長を経て、独立。現在は医療コンサルタントとして活躍。医療事務等の検定試験もおこなっている。大学、専門学校等の多くの高等教育機関等で医療経営・医療法規に関する講義をおこなっている。また、医療機関の請求指導・業務改善、調査等のコンサルティング業務、書籍・雑誌等への執筆、講演、テレビ・ラジオのコメンテーターとしても活動中。
主な著書は、『【最新 2024 年版】いちばんやさしい調剤報酬請求事務超入門』『【最新 2024 年版】いちばんやさしい医療事務超入門』（共にぱる出版刊）、『よくわかる診療報酬算定の実務』『診療報酬算定の実務』（一般社団法人日本医療報酬調査会刊）など多数。
〈連絡先〉
〒659-0013　兵庫県芦屋市岩園町 23-45　シャトル岩園 203 号
一般社団法人 日本医療報酬調査会
TEL0797-61-8701　http://www.j-medical.org
※質問指導はおこなっておりません。

【最新 2024 年版】
いちばんやさしい 介護事務（かいごじむ） 超入門（ちょうにゅうもん）

2025年 1 月 9 日　初版発行

著者　水口錠二
発行者　和田智明
発行所　株式会社 ぱる出版

〒 160-0011　東京都新宿区若葉 1-9-16
03(3353)2835 — 代表　03(3353)2826 — FAX
03(3353)3679 — 編集
印刷・製本　中央精版印刷(株)

ISBN978-4-8272-1459-8　C2047